IMPROBABLES

IMPROBABLES
Primera edición, 2016

#52
Serie N (Narrativa)

© Textos
D. R. Vicky Nizri

© Imágenes
D. R. Marianela de la Hoz

© Diseño
D. R. Selva Hernández

© 2016
D. R. Ediciones Acapulco S. A. de C. V.
Acapulco 13-7, col. Roma Norte
C.P. 06700, Ciudad de México
info@edicionesacapulco.mx
edicionesacapulco.mx
ISBN: 9786079657673

Diseño
Selva Hernández

Coordinación editorial y corrección de estilo
Vanessa López

Formación
Luis Bermejillo

Impreso en Artes Gráficas Palermo
Madrid, España

Todos los derechos reservados
Ciudad de México, MMXVI

Las imágenes de las páginas 26 y 58
son propiedad del San Diego Museum of Art

IMPROBABLES

Vicky Nizri
Marianela de la Hoz

ACAPULCO
MMXVI

Dedicamos este libro a lo improbable, es decir, a lo que es. A un espíritu
vigilante. A las teologías negativas. A una poesía anhelada, de lluvias,
espera y viento. A un gran realismo, que agrave en vez de resolver,
que designe lo oscuro, que considere a las claridades como nubes
siempre desgarrables. Que tenga siempre preocupación por una
alta e impracticable claridad.

Porque lo improbable escapa a la prueba…

YVES BOONEFOY

Mi hermana gemela se comió la lengua

PRÓLOGO

CO-INCIDENCIAS: DIÁLOGO ANTOLÓGICO ENTRE VICKY NIZRI Y MARIANELA DE LA HOZ

Improbables es un texto de co-incidencias. Dos autoras ensayan una misma obsesión: otorgarle rostro a lo invisible.

Marianela de la Hoz y Vicky Nizri se reúnen en esta singular obra en la que los personajes, figuras engendradas de la intuición más que de la imaginación, transitan como en un barco fantasma hacia el piélago de lo clandestino.

Las autoras trazan en su telar de correspondencias una invocación al mundo de la interioridad. Se hermanan en la pluralidad de los temas que las ocupan y circulan subterráneas por la filigrana de los vasos consanguíneos entre la escritura y la pintura.

Esta emocionante conversación y la notoria afinidad de los temas que exploran nos harían sospechar que cada cuadro, cada cuento ha sido confeccionado el uno para el otro, a la medida. Sin embargo es la epístola de sus vidas, el *a pesar de sí*, lo que las lleva a realizar este dueto interdisciplinario de contraseñas.

Cada cuento, cada cuadro, desde su propia substancia revelarán un cuadrante personal de coexistencias y filiaciones casuales. Pero las obras se entrelazan, co-inciden y quedan vinculadas como piezas imprescindibles de un rompecabezas esencial. Más que co-incidencia parecería destino lo que reúne a estas dos artistas.

La zozobra que recorre su mirada y el desamparo de sus protagonistas es fruto de una conciencia alerta, susceptible al con-tacto íntimo. Uno de los hilos conductores que guía ambas obras es la obsesiva búsqueda por la epifanía del otro. Cada una a su modo, De la Hoz con el bisturí de su pincelada, Nizri con la dolorosa puntería de su vocablo, nos fuerzan a suspender la mirada, a reparar en esos pliegues y fisuras de una realidad que las más de las veces elegiríamos pasar por alto.

La naturaleza anfibia de este trabajo se desliza de un ámbito al otro; del lienzo al párrafo, del pincel al bolígrafo, de la letra al color, con tal franqueza que penetrará también, sin bálsamo ni paliativo, en la mente del espectador envolviéndolo y sellando en él su temperamento múltiple.

En una especie de vías o vidas paralelas, las autoras transitan de la luz a la sombra, del Paraíso al Hades, en una bitácora cuya sustancia no es otra que la desnudez. Cada una desde su muy particular aproximación crea un andamiaje subjetivo de la condición humana. Un estallido de significado en donde lo convencional se desmantela.

El cuento que desgarra Nizri y la denuncia que ilustra De la Hoz se reunen en una encrucijada que desafía el orden natural de las cosas y nos arroja a una otredad incesante.

El universo de los *improbables* es el de aquello que no se puede probar.

Este libro está consagrado a suspendernos de la vorágine cotidiana. A injertar la duda más que a resolverla, a sembrar símbolos más que fantasías. A inquietar más que a sosegar.

Nos interna en el universo de la paradoja arrebatándonos, aunque sólo sea por un instante, del sopor de la conciencia adormecida de nuestro tiempo. Más que guiarnos rumbo al ámbito de lo conocido, nos arrojará al abismo del desconcierto.

ÍNDICE

ÍNDICE

PRIMERA PARTE

A los indigentes
Los que vagan con el rostro a cuestas

De sus encías desdentadas escurren palabras negras

EXTRANJERA

Lleva negra su bagaje en disparejos bultos. Uno encima de otro levanta equilibrista una torre. Balancea, arrastra su diablito. Jala arrastra jala arrastra hasta posar su carga en un poste. La noche ha teñido su piel toda. Sonríe. Asoman entre sus dientes oscuras ventanas por donde se desborda enorme su lengua escarlata. Habla a solas suelta la carcajada camina de aquí para allá como loba en jaula niega asiente revisa que su torre de bultos haya quedado bien firme. Va viene al ritmo incesante de su desasosiego como animal de zoológico. De un lado al otro, en una especie de ajetreo impaciente. Camina muy resuelta hacia la panadería. Rectifica. Vuelve hacia su pila de historia sosegada junto al poste. Trota camina de puntitas se detiene absorta en algo que la pierde responde a una conversación entrelazada desordenadamente consigo misma. De oro, varias pulseras adornan su brazo y anillos despuntan de sus alargados dedos. Enormes, acogedoras manos de fina nervadura. Gesticula como quien aclara un asunto. Echa para atrás la cabeza sonríe. Mira perdida al infinito de la calle saluda a lo lejos con la ilusión de conocer a alguien, sumergida en la nostalgia de saberse familiar, con el anhelo tierno de volver a preñar el recuerdo con algún rostro. Sólo sus bultos la fijan a ese suelo que profana. Cabello blanco al hombro. Una peluca por demás ajada. Tal vez abajo su cabellera gris muy grifa tal vez calva. Pañoleta de gitana anida su cabeza y los ojos estrábicos perturban cada cual su rumbo, sus itinerarios desiguales. Va viene supervisa un pasado que no la derrumbe. Ata, desata hasta afianzarlo, de pie, bien remiso. En el siniestro pulso dos relojes detienen su tiempo pende inútil. Sonríe. Otra conversación al aire. Abre grande la boca. Por las ventanas oscurecidas de su dentadura su lengua se derrama y tiñe de rojo. Conversa bella mujer añosa ha perdido los dientes en el embate de ser viva. La razón. ¿Cuántos hombres prófugos?, ¿cuántos hijos cometidos? Sólo su pila de equipaje la legitima. El olor a pan recién horneado escapa de la panadería, ella olfatea. Sonríe antojadiza. La lengua huye entre los gruesos labios, desorbitados ojos adivinan. Loba, saliva. Vuelve a sujetar su pasado. Lo ancla al poste. Entra calmosa como reina, sin prisa. Ni contorsiones ni ires y venires parloteando a locas. Antes de ingresar a la panadería, de reunir todo el nervio necesario para afiliarse fugazmente a ese mundo tan lejano de correspondencia. Se acicala, acomoda peluca pulseras anillos mascada y hunde sigilosos los dedos por el bolsillo de su pantalón caqui. Un billete le dará la entrada. Sonríe. Se retoca. Encubre su afiliación anónima. Abre la puerta. Educada cede el paso, no hay apuro, se adentra sigilosa. Dirige cada ojo independiente a la vitrina. La fila crece, crece, no le importa, indiferente posterga o esconde clandestinamente prolonga el goce. Con callado orgullo acaricia su fortuna. Muestra su billete como tarjeta de identidad. Transita holgada a lo largo de la hilera tan dueña de sí misma encuentra su sitio. Va sin mirar nada, a nadie. Forastera encuentra su lugar en el mundo. En silencio se forma. Sabe desaparecer en el momento preciso. Se confunde entre el siseo jubiloso de la aturdida cola. Miradas morbosas se incomodan. Desalineada mujer deslustra la placidez de aquel paisaje diáfano. Luego, un tanto a regañadientes, la eslabonarán en la cadena uniforme de ecuánimes. Mujeres y hombres uniformados en el respeto y los buenos modales. En una especie de gusto secreto. Invadida por una agitación callada se contiene. Ni trotes alocados de loba. Más bien estática. Como una enorme rosa negra. Abriéndole sus pétalos al universo de gente honorable que aguarda su turno. Tranquila. Como si de pronto el mundo adquiriera un sentido riguroso. Atesora con avaricia aquel momento anhelante, vela su billete y se incorpora normal a un orden preestablecido. Alejada temporalmente de su historia anclada al poste. Con su secreto velado. Su vulnerabilidad encubierta. En un estado de asombro, tras el olor suave y dulce de masa horneada. Aguarda. Su turno. En la fila de ciudadanos que demoran, cambian de opinión, pagan, saborean, codician, celan, desean circunspectos. Formadita como cualquier otro. Emperifollada y coqueta. Tan brutalmente separados el ahora y el entonces, tan tajantemente cortados, emancipada de lo que dejó atado al poste. Allá su historia amortajada, apilada en aturdidos bultos, sus risotadas chimuelas, sus malabares de lengua escapando entre los dientes y sus diálogos fantasmas. Incluso el jaloneo de sus ojos. Fijos, ahora, en el punto de la fila que la sujeta. Se apacigua. Aquí, formada, uniformada, conformada, instituida en la hilera que la pausa, entre la cordura de clientes de panadería, en esa concordancia, ese contacto íntimo y anónimo en el que la vecindad es distancia infranqueable,

tras un mismo rostro, en esta encrucijada, en ese desprendimiento concedido por la magia de un billete y esa identidad simulada. La fila es el
extenso cordón que la sujeta a la norma y la previene de su espontáneo
desboque. Desprendida del tiempo como los relojes que la penden. De su
historia acumulada. Es una más. Normal, común y corriente. De pulsera y
relojes y peluca blanca y pañoleta. Todo dispuesto consecutivamente. Allí.
En ese espacio, extranjera. Calla su secreto. Ella, la de la historia abultada,
apilada, estacionada, sujeta a un poste. Inderrumbable, desequilibrada
equilibrista. Es afín a cualquier otro pasajero de este éxodo. Negra como un
higo. Alienada y sombría. Confundida. Es una más. Igual al que la precede
o la que le sigue. Con su urbanidad y su billete de admisión. Imposible
denunciarla. Fugaz, ecuánime, incluso refinada, se incorpora casi normal al susurro tenue de la fila.

Se la pasan sentaditas tejiendo enredaderas

PRESCINDIBLES

De primavera aparecen las hormigas. Apenas por el baño tantean su largo peregrinar rumbo a la alacena. Primavera. De par en par. El mundo despierta lento entre ronquidos, todavía perplejo, adormilado por el invierno. De primavera por primera vez pequeñísimas ardillas. Recién nacidas piruetas en sus dos o tres semanas de infancia. A tropezones escalar un tronco seco, descubrir bellotas perdidas.

Los árboles ya no son monstruos pelones que espantan en las tardes pardas, no, el día ha alargado sus luces y en sus ramas comienzan a aluzar botones. Colchoncitos velludos que reventarán como maíz bajo el calor de la olla. El árbol se llenará verde de palomas. Los sauces llorones, brujitas huidas de un Halloween remoto, han teñido su lacia cabellera de rubio cenizo, muy a la gringa. Y las tiernas y fatigosas tórtolas cantan cu, cu, cu, comen tenaces y engordan a sus anchas.

De primavera las chicas pantalón corto playera sin manga cabello alborotado y los muchachos formidables músculos toscos deportes. Las mujeres muy de mañana en bata con su azadón su tierra su abono sus bulbos y semillas, todo disponible para encender el jardín de posibles flores.

En primavera crujen las resbaladillas y resuellan columpios y subibajas y gritos de niños en los parques, pájaros carpinteros en variedad prodigiosa de tamaños y colores trepan como arañas, se paran de cabeza y hacen su tamborileo madrugador en los árboles. El lago comienza a derretirse. Crecer de espejos, patos, cisnes, nidos. El tranvía de ventanas abiertas y el mercado de frutos y flores y el café de mesas al aire libre. El mundo ha subido de tono y un olor a dulce perfuma.

De primavera recuerdas que los viejos existen porque después de meses de ausencia vuelves a verlos renquear por las calles. Los ves en sus balcones, sus andaderas, su resolana y su cobija. Salen, dejan su estela sebosa y rancia y sus espaldas vencidas de tanto custodiar sus pasos. Hablan. A solas se acompañan y rara vez piden limosna. Cinco meses oscurecidos de invierno. A nadie le hicieron falta. El último apareció en noviembre, dormido, titiritando en alguna banca de parque, con la primera o segunda nevada. No, la última fue aquella que resbaló en el hielo y la recogió una ambulancia; entre desmayo y quebranto clamó por sus bolsas de nailon, su monedero. Luego, se desvanecieron de la faz de la Tierra. Se guardaron tras su reuma, su muy quebradizo esqueleto, sus pulmonías fáciles y sus innumerables dolencias. Ahora los ves caminando de bastón o de carrito de súper. Como abejas empinar manos y cabeza, esculcar basureros, llenar sacos con latas de refresco que canjearán por unos cuantos centavos. Coleccionar, coleccionando, lo que el mundo desperdicia; casi pudorosos, levantar alguna provechosa chatarra.

Cinco meses más ancianos salen de sus madrigueras, covachas, asilos. Insoportables y empequeñecidos, con sus medias de lana deshilachada y sus desconsolados juanetes, con su cabello graso y aplastado bajo algún sombrerito todavía de lana, con sus niñerías y sus vilezas insignificantes, hambrientos de pegar la frente o la nariz en algún escaparate de pastelería, con sus tobillos hinchados y sus venas resaltadas palpitando bajo su piel translúcida y amoratada, con sus dedos deformes por el efecto retorcido de la artritis. Salen los prescindibles con sus rostros secos, acanalados, llenos de manchas, de espinillas, a recorrer la eternidad de una cuadra para conquistar la otra esquina. Atravesar la calle, implorar misericordia por su moroso ritmo, sus remotas y anquilosadas destrezas. Su tiempo hoy transcurre a paso de bastón, mañana quién sabe.

Pasado y futuro guardados en el espejo

MUNDA

Justo a la entrada del café, en la mesa desde donde discurre el río de gente que entra y sale, la que ve a la calle con sus pájaros friolentos retirando desperdicio, la que testimonia a transeúntes en la batalla contra el látigo de un viento pendenciero, la que ocuparía un guardián o un detective para dominar la acción o controlarla. Una mesita redonda para tres, dos sillas con rebosantes bolsas de plástico; a reventar la historia, su frontera. Abre los ojos; las cartas tendidas sobre la mesa avizoran un destino estrellado; enormes, abiertos, lanzan su mirada y la abandonan, allá una casa sencilla de madera, un perro. Desmesurados, abiertos, abandonados ojos renuncian a falsos anhelos de grandeza o de pequeñez extrema.

Conoces a estas criaturas volátiles.

Te has aliviado borrándoles el rostro.

Velan el centro de las grandes ciudades.

Deambulan las calles ensombrecidas por lúcidos rascacielos.

Escoria te desentiendes de ellos. Nata que desecha tu saciedad perfumada.

Arriban a las seis de la mañana. Un carrito de súper hace las veces de residencia, movediza, intermitente casa; todas sus pertenencias en un eje no mayor de dos metros: muñecos de peluche, radio con antena de alambre, cobija por si enfría.

Los has visto escarbar inútiles sus bolsas la basura; borrachos, aturdidos… presas del aguarrás y del cemento…

Solitarios.

Duendes moradores de parques y zócalos revolotean la ciudad en sus nidos portátiles.

No te aflijas. Tú perteneces a otra casta. Hueles distinto: baño diario, ropa limpia.

Eres igual a miles de otros: glorioso, remunerado.

Pero ella, ni zócalo ni parque ni carrito de súper. Extiende su hogar sobre la rotunda mesa, la panorámica que ve a la calle, a los pájaros hambrientos, a los transeúntes. La que huele a pan, a pizza recién horneada. Traspasa el presente y absuelve su pasado. Sonríe. Conversa imaginaria escucha con ternura de madre. Niña toma la mano de una mujer hermosa, la mira extasiada. No pretende ser igual que nadie. A su izquierda, viste de rojo, tarlatana, escote muy suave mira hacia abajo. A su derecha es niña, alza los párpados. Conversa en una bitácora ininterrumpida gira de un lado a otro manotea amable mima sonríe llena de luna muy blanca. No hay futuro que la aguarde; desde su punto de partida rompió lazos, avanza en círculo, toda su casa sobre la mesa onomástica, asiste a sus invitados. Se inclina hacia las bolsas en las que algún ratón o cucaracha harán domicilio. En un acto desprevenido de amor baja la guardia. Extiende sus pertenencias, comparte remembranzas, noches interminables. Hospeda pródiga su mesa. Ha renunciado al juicio, al ansia de dominio. Hermosa una mujer de rojo esconde algo en las manos. Dueña de aquel tiempo gesticula gira de un lado al otro siniestra la flor de su infancia. Convida a sus fantásticos huéspedes su tesoro. Interrumpe. Hace orden. Se inclina. Alcanza algún objeto del fondo de su historia. La casa está puesta. Vasos. Platos de cartón. Popotes. Botellas vacías que habrá hurgado de algún cesto de basura. Hospitalaria agasaja a su concurrencia. Insiste. Tomen. Sonríe nueva. Saltan de la ilusión sus invitados. Festejan. La niña es feliz al lado de un cachorro con moño. Desligada de reproches. Destina sobre la mesa veintidós fotografías. Cada triunfo un sitio definitivo. Abre los ojos, no se pierde en el encuentro brutal consigo misma, en el acantilado de ser sola. Regresa. No la pierde una reputación de carne y hueso su rostro. Cada fotografía ocupa su sitio en casa. La niña enreda con un brazo a la mujer y con el otro a su cachorro. No cesa el revoloteo. Gira colibrí de un lado al otro. Conversa. Escombra su nido de bolsas. Nada la escandaliza. Extrae del fondo un cuernito de chocolate. Algún acomedido se lo habrá obsequiado o lo abandonó ya harto. Lo sostiene sobre sus piernas andariegas. Ni reproches ni acusaciones. En la curva infinita de la mesa hay espacio para el convite. Servilleta. Plato de cartón decorado. Tenedor. Cuchillo, azul y blanco. Hacendosa señora de su casa los limpia antes de usarlos. Ni propensión a aplastar ni a ser destruida. Hay lugar en el mundo de la mesa pero coloca el plato en las piernas, sobre la servilleta para no profanar lo sagrado. La casa puesta recibe. Come sin ansia, tenedor cielo, cuchillo blanco. Sólo quien conoce el hambre sabe comer con pausa. Corta el pan en pedacitos. Se agacha de nuevo. Alcanza de su equipaje una hoja mil veces doblada. Lee a intervalos. Sólo la soledad sabe con cuánto sosiego se lee una carta sola. Ni insulto ni decepción ni venganza. La mujer abraza a la niña en la puerta de una casa de madera, junto, un inmenso sauce. Abre grandes los ojos. Su mirada perdida ha perforado el presente para posarse colibrí sobre la flor roja del vestido. Perdidos los ojos en el paisaje de su letra, sonríe creciente. Mira a la calle a través del vidrio empañado de cafetería. Se remonta tierna a extraviarse. Vucla su mirada a velocidad de astro, liba de algún momento franqueado, se regocija nostálgica. Proscrita la ferocidad de quien la ha perdido, permanece dulce y amigable incluso contigo que la espías. No hay espacio ni tiempo en el vuelo robusto y sencillo de sus ojos. Ni vergüenzas inútiles. Vuelve a la carta. El humo del café empaña, los comensales van y vienen, ponen y quitan abrigos o bufandas. La niña parte un pastel de cumpleaños, observa absorta a la mujer del colibrí. Lee en voz alta, se escucha. Han dicho algo gracioso. Cae involuntaria una foto, la levanta. Malabarea plato, cubiertos, servilleta sobre sus piernas cansadas. Minuciosa sacude su fotografía, la soba como escapulario, la besa, la redime a su sitio con la devoción de quien lleva años custodiando algo; vuelve a ausentarse. La niña, tomada de la mujer colibrí, frente a la casa de madera, su perro de peluche, cae sigiloso el moño. ¿Año Nuevo? ¿Navidad? ¿Cumpleaños? Ni ansia de condecorar. Muestra la fotografía a los supuestos invitados, llora de risa y sus ojos echan chispas. Luz intensa brota desde una de sus múltiples centralidades. Las lámparas del café la alumbran como actriz en noche de estreno. Trémula asea el plato, los cubiertos, azul y nube, la servilleta, devuelve a sus mil dobleces la carta leída hasta siempre. Recoge sus botellas. En orden los veintidós triunfos, cae su suerte siempre en la misma disposición la Fortuna, constelación de un Tarot que retrocede. Se repliega de a poquitos, empaca sus bolsas. No rinde cuentas ociosas a espejismos. Ella, la última de las arcanas de su historia, seca sus lágrimas de risa. Limpia con suavidad sus labios. Guarda escrupulosa las migas que la sobran. A la noche sus ratones, sus cucarachas.

Cada tarde friolenta de café y de pájaros pondrá la mesa, traerá a sus invintados. Mujer abundante convidará agua de sus botellas vacías. Munda revolotea habiendo consumado todos sus crímenes. Ni remordimientos, ni excusas. Desnaciéndole al recuerdo pone en su casa redonda la historia que un día la perdió. Mujer extraviada de este mundo tan ajena, suelta amarras.

Avaricia - falsa generosidad

VILLANCICOS

Emerge remota, su arrullo llama, deambula como alma que ha perdido rumbos. Eleva al vagón su sencillez ¿provoca? No más de treinta años, gorro, bufanda, guantes agujereados de estambre pálido, tejidos a mano en una mecedora inmemorial y crujiente que habrá recogido de algún bote de basura. Mira hacia un punto por la ventana del metro, ojos verde emboscada, eleva al aire un compás húmedo. Mirada y sonrisa cadenciosa. De canto presente mueve su mano, acaricia bajo la cintura. Vibra y recorre el vagón con su voz, ¿clama? Cabello paja, falda larga de gitana, canta su navidad revelada, maternal armoniza, ¿soporta las miradas? Te alerta. Intrusa invade el laberinto de mi escucha. Su villancico se enreda tenaz entre los pasajeros. Su empalagosa cantinela en el nombre del cielo, redundada ociosa, desquicia a la ciudad toda, radio, televisión, supermercados venden salchichas lo mismo que vida eterna. Tonadilla fatua por demás restregada. Melodía gastada enturbia tu claridad decadente. Tratas de concentrarte en tu lectura. Resistes, gruesa la piel, a esa letra saqueada de significado: "Dios vino al mundo a perdonar tus pecados". No soy culpable, piensas, pero la joven me despierta un ansia de absolución impasible. Cumples con tu trabajo, tu casa, mis hijos, ¡no soy culpable!, insistes, y entre nota y nota, un llamado a sacrificio arroja, ofrece su cáliz. Te encierras caracol en tu concha. Trato de extinguirme, su absolución incendia. Una angustia de eternidad se aproxima, resbala esa mujer de rostro pequeño, muy blanco, habitante de los márgenes intemporales del metro. Eterna, eternamente su canto empañado y simple creciéndote acaudalada ola como terrible presagio.

El cuerpo desnudo de su voz te consagra, te llena de culpa. Débilmente confundida bajas la mirada, te encubres. Avanza, su voz peregrina se hunde, penetra en ascenso imperceptible de oboe. Piel muy blanca la transparenta, pinta sus mejillas de manzana; no es el volumen de su voz lo que la sonroja, es el frío. Baja la mano, en círculos acaricia. ¿Locura? Sientes lástima, tan joven. Su mirada perdida en el infinito, mezcla tonadas, luego sólo tararea como haces tú a solas, cuando estás de buenas o cavilas sustancialidades, entona perspicaz reparte la oblea, cuerpo del hijo sacrificado, abres obediente la boca, comes de su voz. Admites. Afinada, humildemente se hace tangible. Todo el vagón guarda un silencio de iglesia. Los ojos desnudos, denunciados; la mujer, joven emboscada, evidencia, los anónimos presentes ¿comulgan?, atrasa el tiempo apurado de metro. Cada uno llamado por ella, tocado por su voz, interrumpido por su muy deslucida música. Quién es esta intrusa que se atreve a profanar tu espacio privado de tren. Una mendiga, pienso, ¿la disculpas? Gira su mano hacia abajo en pequeños círculos; de facultades débiles, te apiadas. Ella acaricia. Con suavidad vocifera al interior de quien la escucha. Pasajera te adelantas. Apresuras la ocasión de silenciarla. Deslizas discreta la mano por el canal de tu bolsa como quien come a escondidas, te impacientas: cuándo comenzará su recorrido, la mano extendida, la exigencia, ¡dame! Vaticinas el momento de verdad que ¿esconde? Buena cristiana, extraes la caridad con iniciativa hipócrita, avivas la limosna fácil, la redención tuya absuelve el acto vergonzoso del suculento plato que te espera al llegar a casa. Como después de una confesión, exhausta, has vaciado tu vida, has revelado tu secreto a una extraña. Notas monótonas, lánguida monaguilla su timbre agrava, guarda un misterio inadvertido con la naturalidad de quien posee una vida, despierta tu voz, tu historia, un deseo inevitable de someterte. Tiempo prisionero de metro; una pausa. Otros simulan no ver, no oír ¿su reclamo? Prosigue tenaz hacia tu contorno. No le asusta la gente como a ti, ni se apena de irrumpir en otras vidas. En voz alta abraza cabalmente su propia vida, quema su música tu carne como si un sereno ácido te caminara, como si un martirio, húmedo y dulce saciara una sed antigua; su tonada denuncia y roba piadosa la pulpa de tu fruto, te desvaneces. Arde su voz aromático incienso, no se estrella contra ti, penetra. Dócil animal comes de su mano. La andariega propaga augurios, sonríe caritativa, paciente, ¿acaricia? Su encarnado canto no es promesa, es acto. Tras la trivialidad de la música, el brillo de su voz surge del mismo pecho de un pájaro. Ha importunado al vagón entero, despierta al metro de su existencia sonámbula. Trastornas al compás cadencioso de su villancico, te precipitas en sus notas húmedas de cascada. Toda ella en pie, tan joven elevándose en voz alta su navidad sin afanes, muy hacia ella, floreada la falda, muy de colores. Pasajera disimulas el anhelo irresistible de responder al llamado, la moneda de compasión bien apretada, firme, pronta para la dádiva que denunciará su colecta descarada, desenlace vulgar de esta puesta en escena tan carcomida. La sigues con la mirada. Ansías ya la salvación: darle. La mujer tersa de alma y gorrito de estambre, en una especie de gloria íntima anuncia su parada. Sin interrumpir su voz, extendida y limpia, con una mano cleva el alba, con la otra acaricia en pequeños círculos a su criatura. Le canta.

El manicomio es una puerta generosa

COMO TODOS O NO

Ronda la ciudad sin dueño Tal vez fantasma traspasa el lienzo Sube al autobús que lo abandonará justo en su mesa de pan dulce y café con leche Entra por el jardín tres veces como todos o no

pide

le dan

deambula sonámbulo Sólo sus bolsas a cuestas su desamparo peregrina la calle un laberinto que lo lleva tres veces a la mesa En el espejo se mira un hombre como todos o no entrañado el tiempo en el lomo lo dobla el cabello cano vientre abultado rebasa la dimensión familiar se desconoce

¿Quién el del reflejo sucio carcomido

¿Quién caduco y descompuesto en el limbo tres veces de la mesa roe el pan la mantequilla

¿Quién sandalias de cuero en pies derrumbados el camino a tontas pide le dan un buen trozo dos cuadritos de mantequilla Le dan Su café Su leche Pero no acepta limosnas Viene de caminar

¿cuántos años La calle desconocida redunda Su itinerario se pierde en la noche lo vence Sólo la hilera de árboles de pie y la penumbra de sus ramas Un alma sola como todas o no habituada a su sed a sus delirios deambula sin huella su travesía fantasma sin nadie que teja la mesa Brota su pan su café con leche tres veces

¿dónde pasará la noche acecha o no y sus umbrales de vigilia o no encadenado a su vientre el espejo desconoce con sus ecos y su nostalgia de nostalgia da a luz su muerte noche a noche pide le dan cuarto en algún hotel de paso a sus ochentaitantos el hambre renovada tres veces cada día el autobús condena la tarde o no su calle en la mesa su pan dado de cada día tres veces devorado entre los avaros dientes desmoronado a sus pájaros enciende un Winston lo fuma con gallardía un Humphrey Bogart cualquiera con calma como quien tiene toda una vida Por delante descubre una moneda arrastra sigiloso su pie sucio con sus garras de animal la cubre la lleva hasta una esquina vigila que ninguna otra bestia se la arrebate años encostrados en sus pies la empuja prudente inicia el descenso torpe el recorrido infinito de su extensa geografía baja una montaña su aparatoso vientre desciende en su desenfrenada decadencia tan hostilmente dispuesta contra él aquella dimensión tan dura la oposición de sus huesos inflaman la resistencia que corazón y rodillas oponen denso y tenaz tan furiosa el ansia por alcanzar la moneda llega al suelo la acecha la empuña veloz inicia el ascenso carga su peso hacia su propia cima extiende su mano sucia la mirada opaca ante el testigo que vigila

le pregunta

¿es suya

El hombre le responde negativamente Guarda veloz su hallazgo la mesa lo transita en sus recovecos es hombre como todos o no con su codicia bebe su café hasta la última gota el vaso desechable lo tira tira el papel metálico de mantequilla su servilleta usada la tira pero se abisma hacia el basurero como quien teme desea arrojarse de un octavo piso la tentación la promesa por consumarse como todos o no a la esperanza el olor la retribución posible que exhala del basurero La mañana nubla deambula sólo sus bolsas el vaho cae de la ciudad sin dueño se posa sobre la copa de los árboles el parque oculta tras el velo denso que desciende que enreda y se extiende no hay mesa tendida en el umbral cada día peregrina tres veces recién horneado el mundo

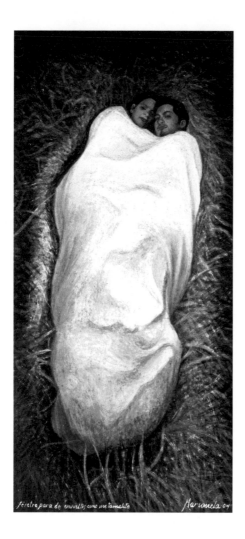

Tumba para dos, envueltos como un tamalito

MUDOS SABOREAN LA MIEL

Hay algo dulce que se gesta en el silencio de una flor tan envuelta en sus pétalos, tan arrojada a su néctar.

Una pareja sordomuda aguarda en la parada del autobús. Ella, asiática, delgada, ojos tan rasgados que apenas parece tenerlos abiertos, cabello oscuro recogido con descuido en una colita de caballo, cejas despuntadas por un crayón muy afanoso, labios gruesos. Él, latino, moreno, panzón, carga una mochilita en la espalda, tenis blancos, va y viene inquieto, gesticula, llama su atención con movimientos toscos. Ella, encrespada, lo ignora resuelta, como hacen las mujeres cuando sus hombres no les cumplen, las tratan rudo, no ayudan con los quehaceres de casa o malgastan la quincena. Con el ceño fruncido, realza, aún más, la curva de sus cejas, lo esquiva. Él la toca, bromea para suavizarle el ceño, se coloca frente a ella, llama su atención, payasea. Aquellos dedos fuertes y ágiles hablan con velocidad inaudita. Algo sobre un accidente, parece. Ella no chista, lo observa atenta, hace muecas, desaprueba. Él, prestidigitador, exagerado sacude el cuerpo, cojea, se dobla, señala las supuestas heridas; pujidos, contorsiones, muecas de miedo. Ella, con la palma abierta indica ¡alto!, el índice en sus labios carnosos ¡no sigas!, lo aleja, renuncia a verlo. Él manotea, bebe un sorbo del refresco que comparten, un vaso de cartón chico que anuncia Coca-Cola; tira del brazo de ella, toca delicado su frente, rescata su interés a toda costa. Tan pronto lo consigue, equivoca la vista, pretende estar absorto en su terrible historia, bracea, guiña de nuevo, hace la pantomima de ser arrollado por un auto. Ella clausura nuevamente su atención. Él le da palmaditas en la frente, le abre los ojos, puja; mal actor se agita y se sabe observado. Ella reitera la seña ¡cállate! Con el índice preciso mira hacia la parada, ¡se nos va el autobús!, expresa tijereteando los filosos dedos y pone fijos los ojos en la calle. Él insiste, tañe su pierna, tira de su brazo, otra palmada en la frente demanda la atención de ella. Al fin, un suspiro, una expresión de alivio; como guerrero después de la batalla baja las manos, descansa los dedos tensos, los masajea, anuncia con gesto melodramático el final de su anécdota, la vigila de reojo. Ella expresa repulsión, sacude sus dedos muy delgados, lo aparta de nuevo. Él, con satisfacción masculina toma distancia sólo un instante. Ella vuelve hacia su parada. Él la toca, shh, ahora es una caricia dócil. Ella sigue disgustada. Frunce sus muy resaltadas cejas. La espeluznante historia la distrae del agravio. Extiende su brazo firme, lo separa, puntea el índice sobre sus labios, ¡cállate! Vuelve la vista hacia la calle, atentos los ojos para averiguar el instante en que el camión se aproxime. Él hace caso omiso de los aspavientos de ella. Se pone a gesticular, expresa algo íntimo, una señal muy de ellos, algo así como discúlpame no vuelvo a hacerlo qué linda te ves me gustó hacerte el amor esta mañana. Shh, la acaricia. Todo transcurre dentro de la burbuja sigilosa que habitan. Todo al vértigo de esos dedos que aclaman. Afuera, el escándalo de tráfico, de claxon sobresaltado, de choferes que rebasan, que dan vuelta, que maldicen y previenen a un peatón distraído, nada de eso los llama, nada de aquel mundo estridente invoca su atención sorda. Ella recibe la caricia, la acoge con su mano, maldosa suelta una risita que disculpa. Atenta a su parada, a su autobús, vuelve la cabeza, verifica. Él aprovecha la distracción, va tras su adversaria, sitúa una palmadita indiscreta en la pierna, tantea sus ingles, toca su frente, al fin, ella se alegra franca, roza sus labios, se acercan. Tan vasto su silencio de noche, de desierto, de estrella, de montaña. Shh. No hay rumor que irrumpa en aquella elipsis dilatada; no canta el gallo en sus mañanas ni pita el tren o el barco que hoy zarpa ni rechinan sus pasos sobre la duela ni azota el viento puertas y ventanas. Shh. Como lunas, taciturnos. Shh. Silenciosas hormigas entrelazan los dedos como lenguas, sólo el roce de sus manos habla. Shh. Ningún objeto impone su sonido en aquel silencio sellado. Sólo el temblor, la vibración, sólo la piel y los ojos y las manos. Sus labios se aproximan, abandonado el agravio, las ínfulas que culpan y moralizan. Shh. Se han abandonado a la carne de sus labios. A gritos saborean la miel. Cuando retornen del beso, el autobús inadvertido habrá pasado.

Flautista

PRELUDIO

Susurra el instrumento en la estación de Harvard. En la memoria una música de carrusel colma el espacio: olor a cama tibia, a hermanos, a pan recién horneado. Crujen pasos por la escalera infantil, suspiran puertas y ventanas. Un arpegio ahoga el tumulto subterráneo de la estación de Harvard. El hombre infla su vientre instrumental, lo vacía, escapan las escalas de su pecho y en los brazos extiende alas. Ha de ser ruso el que tañe con tan íntima nostalgia. Hombre llano, impasible, contrasta con el franco pulso emocional de su tonada. Toca. La mirada se pierde aquí y ahora en un infinito exhalar de trenes. Tañe. La gorrita tejida de lana, colocada al descuido sobre su cabello ralo, grasoso, muy lacio. No sonríe seductor a su apremiado público ni espera loas ni aplausos. No ostentan la cabeza o los pies el ritmo que lo alienta. Sólo sus brazos fuertes esparcen, resaltan la tenacidad de venas y músculos con precisión ejercitada; sólo sus manos galopan desnudas sobre el anca lisa del teclado, manos briosas sobre lomo de corcel azuzan el fuelle de una melodía que rasga; solloza la estación de Harvard. Caja airosa de acordeón absorbe a bocanadas el escandaloso coro de trenes y a cambio esparce un lamento suave y remoto.

Acaso sea el acordeón el que tañe a su músico.

El áspero viento invernal escarcha, tan rugoso de manos el músico de uñas sucias y camisa raída. Su acordeón le atañe, redacta, frase a frase, su secreto de tierras lejanas, de vodka, samovares humeantes en callejones olvidados. Delata el instrumento el exuberante interior de su silencioso camarada. Aquí y ahora tañe, y sus ojos rebosan sonoros. No oculta el rostro ni lo muestra complaciente. No divierte a su enajenado público ni agradece dádivas azarosas depositadas en el viejo estuche en la que yace el melodioso cuando calla.

El vibrante teclado arranca su tonada al ruso,

lo ejecuta y modula el clamor de balalaicas y polcas taciturnas y osos gitanos.

Dueño de su alma, el instrumento denuncia al instrumentalista.

Tan solitario, pulsa imperceptible el espíritu de todo aquel que llega o parte de la estación de Harvard. Espolea desolante con su música. Tan ensimismo, lo adelgaza el pantalón fofo que sujeta un cinturón muy ajustado, los zapatos desbocan su abuso. Tan retraído el músico, raído se entromete, invade tu intimidad desprovista. Acude con su armonía y fuma indiferente mientras su música circunspecta te hiere. Envuelve su cigarrillo entre sus labios secos, agrietados por el frío, se disipa entre el humo que lo esfuma mientras abre con brío el fuelle o se deja abrir por él y despliega los brazos con respiración pausada. Su rostro rayado en pentagramas guarda el misterio de una insondable partitura. Sesenta o setenta años. No hay canas en su cabeza sólo música y manos y ojos interiores caminándole un pasado remoto de circo, domadores, mujeres barbudas y hombres lobo.

Un solo cuerpo de acordeón los alienta.

Inmenso organismo llena de resuello la bóveda,

involuntarios, instrumento y músico se acarician.

Envueltos entre la multitud pasajera de paquetes abrigos sombreros guantes helados espectadores curiosos caritativos artista e instrumento suenan.

Una sola historia melodea en la estación de Harvard.

Calla el hombre, el acordeón clama.

Juntos resuenan.

Con el ansia de no desbarrancar en el giro nostálgico que disemina, el espectador, asido por el embeleso, busca, implora la mirada redentora del intérprete. Hombre-acordeonado alberga al fugitivo, torna la estación en asilo. Esparce el hombre su tonada, subyuga el abrumado espíritu del transeúnte, oficia la pequeñísima victoria de irrumpir en el desquiciado vaivén del tráfago. Del mundo subterráneo se eleva una espiga melódica. Consagración y ofrenda de entretejer notas inmutables. Estallido deslumbrante en el que instrumento y músico irradian. Echan a volar como palomas. El público desamparado sucumbe. Se precipita aquí y ahora hacia la añoranza fundamental de pan y tierra lejana.

La espero , prometió ser puntual.

DE PRISAS

Ojos grises, pantalón rugoso, gorra de lana. Saco beige, tenis blancos. Gesto reservado, un tanto triste. Jala una maletita, una bolsa de tela. Rastrea… Un teléfono público. Descansa con alivio sus pertenencias. Más de setenta años. Inserta la moneda, marca varias veces. La cabina telefónica, al igual que él, parece un ser extraído de otro mundo: abandonada, decrépita, saturada con grafiti, nombres y leyendas arrinconadas. Renuncia. Está fuera de servicio. Más bien no sirve. Ha quedado ahí como monumento histórico de un pasado menos hosco. Alto, muy delgado. Apenas las tres de la tarde. A esta hora de su invierno el sol ciega. No calienta. El viento helado se abre paso a través de su saco de algodón escuálido. Se reacomoda la boina, levanta la solapa. Estaciona escrupuloso su valija, su bolsa negra en la entrada de la fonda. Cuida de no entorpecer el paso. Entra. Respetuosísimo se quita la gorra; a la encargada, buenas tardes, ella, ¿en qué le puedo servir?, y saca su libreta para tomarle la orden. Cabello blanco, lacio, inclina la cabeza en señal de gracias: una llamada telefónica, un taxi. Moreno, muy latino, si no es mucha molestia. La mujer busca el número. Marca. Mientras espera, organiza, guarda, pasa el trapo ocioso por la caja registradora. Él olfatea apagado y mira con anhelo los postres: *pie* de nuez, de queso, de chocolate. Echa a volar el alma… los ojos húmedos. Ella gesticula ansiosa mientras aguarda a que le respondan en el sitio de taxis; una grabación, música de radio, noticias, para que los clientes no desistan. ¿Diga?, ¡al fin un ser humano! Mándeme un taxi. Intercambio veloz con el de gris, al aeropuerto. Quince minutos, le informa cortante, sin que él alcance a preguntarle nada. Espere afuera. El hombre inclina la cabeza, sonríe agradecido. Antes de abrir la puerta, de recoger sus cosas, busca un encuentro amistoso con la encargada. Si estuviera mi mujer, toma un poco de aire, si estuviera aquí, hoy, explica sombrío, en un intento por recobrar la dignidad perdida por el favor de la llamada, si ella estuviera aquí, no habríamos salido con las manos vacías, señalan sus dedos largos los postres, las venas resaltadas, el pulso tirita, vuelve la vista hacia la vitrina de dulce… no sé, quizás el de nuez… no, no, no, más bien de chocolate, su preferido… La encargada pasa el trapo atenta al polvo. Al escuchar, chocolate, toma de nuevo su libreta, tal vez ahora el viejo ordene algo. Si estuviera hoy aquí… Afuera la tarde engaña con un sol brillante pero frío, mi mujer… los ojos buscan consuelo en los exquisitos postres… La empleada sonríe con impaciente cortesía, golpetea con el lápiz sobre el mostrador de formica escarapelado. Ha perdido ya mucho tiempo llamando al taxi, si al menos redituara. Él continúa; pinta de sombra las palabras, pero no está aquí… dice, y su voz viaja. La encargada ya no escucha. Se aleja de él como si la vejez contagiara. Apagado, habla a solas. No está aquí… repite, traga saliva, respira hondo en un intento inútil de sujetar la nostalgia. Saca su pañuelo ajado. Muy ajado seca el sudor de su cara… Afuera la gente va y viene con diligencia. Los automóviles se deslizan fugaces por la calle y esos rayos de sol a las tres de la tarde no calientan. Ante él, en los minutos que aguarda al taxi, sucede el mundo a velocidad astronómica. Temerario vertiginoso mundo indiferente como un sueño. Murió, dice para sus adentros en voz muy tenue. Pausa. Se desvanece, murió hace dos semanas. No es justo, ¿sabe?, aunque echa de ver que ya nadie lo escucha. Levanta su valija, su bolsa, se acomoda el cuello del saco, la cachucha. Abre la puerta. En un gris cada vez más lánguido, dice, no es justo. Yo iba primero.

Bailaré de puntitas sobre tu cabeza

DORADO AMANECER

En el vértigo
la luz solar gotea
su néctar
te humedece
El tiempo no apresura ni suspende el ritmo
Tu cuerpo,
pequeña abeja,
desata y dispersa su blancura
en una danza eterna.

Amanezco bajo un escandaloso manto amarillo. Desde la entrevela de mi sueño su temblor vuelve a sosegarme. Un zumbar ocre me envuelve. Abro los ojos, diminutos vientres rayados vuelan, se inflan, se desplazan a mi alrededor igual que una tropa enloquecida de reclusas fugadas de sus celdas.

Florea un enjambre por el límpido verano de mis sábanas. Mansos los aguijones y tenazas se aproximan, rondan mi lecho espiral como antaño. Antes de que comiencen las prisas de llegar al ensayo, dejo que el incendio de miel envuelva los últimos hilos de mi sueño. Sus diminutas trompas liban de mi piel. Con suaves caricias esparcen su néctar. Me desperezo.

Aquellas tardes danzantes aún gotean bajo el zumo de tules, salones de candil y luz trémula. Tomada de la mano del abuelo, la niña obedece al dictado del un dos tres, un dos tres, la guía, la incita a saborear lo que será el ardor de su vida.

Los domingos muy temprano a los panales. Las nobles abejas, casi devotas ante la presencia magnánima del abuelo, salen a nuestro encuentro. Con los aguijones enfundados y sumisos nos acarician fugaces. La abuela en el hogar apresurará el desayuno de buñuelos para llegar a tiempo a misa. Primero la música, dicta el abuelo y sienta a la pequeña en su regazo. Se abrazan. El abuelo huele a laurel, a sauce, a azafranes, a violetas, a miel recién recolectada. La acerca a su pecho y le dice en voz bajita escucha; y el dum, dum dum, dum, del crepitante corazón la hipnotiza, la hunde en el contrapunto de latidos que surge de la caja mágica. Su pequeño oído, se adhiere al tamborilear, dum, dumdum. Como insecto hambriento bebe el néctar del corazón de su abuelo.

Escucha. La incontrovertible ternura del mandato despierta el aleteo de piernas y brazos. La sube sobre el arco de sus expertos pies y la lleva en un viaje cadencioso, un dos tres, un dos tres al ritmo de un valsecito afelpado. La niña baila montada sobre los pasos de su abuelo, se disuelve en aquella abundancia circular y aromática y sueña, sueña con ser bailarina. Sometida al fuego de la miel el abuelo le dice al oído: pequeña abeja, escapa de tu celda ve hacia la flor. Danza, danza, danza.

Cuenta la leyenda que la primera abeja que jamás existió viajó alrededor del Sol y trenzó una aureola entre sus llamas durante nueve días. Traspasado el umbral irradió en ella el don de la dulzura. Fue entonces que le fue encomendado el cargo supremo de propagar la llama vegetal de la gran urna. Enfiló su vuelo desde el Sol y roció la miel dilatada por el mundo.

Los domingos, el abuelo es miel y danza; la abuela, tedioso, obligatorio, sermón de misa rematado con la interminable repetición de un rebaño de loros, así lo precisa el cura para conservar la abyecta sumisión de sus feligreses: ¡Señor ten piedad!, repite el coro en un tono monocromático y liso. ¡Te pido perdón, Padre, por mis pecados! Y la música celestial de un bandoneón aburrido de repetir la interminable y dolorida cantaleta.

Él me toma de la mano y me dice que el pecado no existe, yo no entiendo; pero las notas de aquel bandoneón tras la ráfaga esencial de la voz de su abuelo la invita a mover los pies, aletear las manos. Misa a cambio de helado, a cambio de la promesa de ir al baile por la tarde. De tules y zapatillas bailará la niña. Sólo con tíos, primos, hermanos. El abuelo vigila celoso que no se le acerque ningún zángano.

Cada domingo de mi niñez, el acontecer reiterado, escandaloso estampido del colmenar, de buñuelos apurados, de sermón oscuro y del acompasado y tibio pulso de latidos cordiales.

Me desperezo. La luz del tropel vela mis buenos días; me deslumbra. Envuelta por el rumoroso fulgor bostezo. Extiendo brazos y piernas, los pequeños insectos se aproximan con la devoción de antaño. Poco a poco abandono el recinto de sábanas. Abro de par en par la ventana; la nube de abejas montada en una suave ráfaga de viento se despide. Deja flotar una fragancia a laurel, a sauce, azafrán y violetas, a recóndita miel extraída de panales. Se aleja. Exhibe su escandaloso amarillo a rayas. Parte hacia la tenue humedad de la madrugada. Viajará nuevamente hacia el Sol. Del cáliz a la celda y de la celda al cáliz, cada año en la estación, el mes, el día, la hora precisos en que el abuelo dejó de ser corazón pulsante y se convirtió en zumbido.

Represento el papel de loca feliz, hablo con arañas y moscas mientras Edgar Poe grazna...

Edgar Poe y la loca feliz

ORDENANDO EL MUNDO

Negra, alargada y tenue, deambula con la mirada hundida en el océano. Admira el espacio que se despliega frente a ella y quizás desee poner un poco de orden en aquel escenario desparpajado de plumas regadas y desechos. La tarde revienta en enormes olas que pulen las rocas, y los pelícanos se arrojan vehementes sobre sus presas, comen y ensucian los indiferentes peñascos. Ella, la mujer negra, vuela también, o más bien levita por el camino que rodea la playa. Ella, capaz de reacomodar el mundo, de aglutinarlo en un orden preciso. Estalla sus ojos en la playa, se funde. Sobre sus zapatos de suela unos calcetines blanquísimos encubren su caminar de por sí clandestino. Cabello caracoleado de ola, blanco como el excremento de los pájaros. Silenciosa, oculta sus zapatos bajo calcetines refulgentes. Entra al café. Borra su rastro. Un yogur con letras moradas que rezan: sabor durazno. La mesa que da hacia el mar atardecido. Su servilleta doblada en una mitad perfecta. Una cucharita de plástico color verde. Ruidosa al comer, ríe ¿a solas? El eco de su alegría llama la curiosidad de los presentes. Afuera su limpio caminar de sol, de cloro minucioso. Al atardecer cuando el mundo retorne a su origen de sombra, sin ensuciar zapatos ni asfalto, sin que nadie perciba su trajinar de cálida resaca, entre basura, calles estrechas, ruidosos bares y burdeles, retornará a su casa negra de barrio, a sus niños callejeros, cardos salvajes de pelota y cancha y narices mocosas que advertirán su decolorado paso y le arrojarán escarnios desde su muy feroz inocencia. Entre condones abandonados y botellas de plástico, papel periódico, perros y moscas arrebatándose la porquería, allí, entre tal abandono, profunda y tácita, su casa hecha de lugares comunes: ventana con geranios rojos, muros que se desmoronan al constante temblor de rieles, patio pequeño con tendedero y magnolias. Abrirá la puerta. Se descalcetinará para entrar a su espacio con zapatos limpios. Sus dos rosales. Sus pétalos marchitos. Sus canarios. La cama perfectamente tendida. Sus dos cabecitas de ángel de porcelana barata. Remojará tenaz los ajados calcetines. Tallará paciente la costra andariega. La memoria litoral de su andanza.

Nadie la ve pero sí, su carcajada al degustar el yogur en su dulce cuchara de plástico. ¿Instiga la curiosidad de los presentes? De tiempo en tiempo se vuelve hacia la vitrina donde aguarda resignada la exuberante variedad de postres. ¿Qué la llama? Tal vez el placer de probar el pan dulce o el pastelillo de chocolate que le devuelva el gusto de su remota infancia. Un minuto de suspenso. La mujer deja estacionado su yogur junto a la servilleta doblada y la cucharita. Se levanta sin alterar nada de su lugar delimitado. Como niña de kinder o primaria mete la silla en su sitio. Se dirige hacia la empalagosa vitrina. El nítido silencio de su paso pule ahora el piso de cafetería. Camina suave, embellecida por el garbo de su porte, con la entereza de quien no conoce el miedo o, mejor aún, de quien lo conoció y lo ha doblegado. Siempre atenta a su escaparate de dulce. Tal vez lo que la atrae sea la tentación de robarse un manojo de sobrecitos de azúcar, servilletas, cubiertos a la bolsa, nadie la nota. Inadvertida, habituada al anonimato dirige su atención hacia la tarde casi salvaje de olas y pelícanos. Nada de lo que sucede afuera perturba su pulcritud palpitante, ni las aves que han alzado el vuelo ni el viento que mece ni la enigmática marea; observa, identifica cada individuo de la parvada de pelícanos; la herida, la mancha en el ala, el color del plumaje, cuántos jóvenes, cuántos recién nacidos; cada santo y seña. Con tal intimidad los reconoce. Nada la ofusca. Su tiempo de resaca acontece apacible. No, no es el ansia de morder el bizcocho, ni el aguijón de pillarse algo de lo que allí se exhibe. Es el mueble de frasquitos: saleros, pimenteros, mostazas, salsas cátsup, Tabasco, los que la llaman, aguardan de pie al apetito delirante de ella, a su extraviado gusto por ordenar el mundo. Ese mismo afán que la incita a envolver cada mañana sus zapatos bajo calcetines albos. Atenta al mar, al tiradero de plumas y zurullo que ha dejado la parvada de gaviotas, alerta a su mesa, su yogur, su silla replegada. Se detiene frente a los desalineados frasquitos. Como toda profesional del orden, comienza a acomodar meticulosamente las hileras de saleros. Pimenteros. Salsas de tomate. Mostaza. Igual que un ejército quedarán correspondiéndose matemáticamente. Tamaños. Colores, formas, todos orientados hacia el mismo, exacto punto: su playa de pelícanos y gaviotas. Tal precisión hace pensar que la mujer de cabello oleado y piel de ocaso trabaja en el café hace veinte años. Con tal destreza enfila los variados pomos. Qué cuidado, previsión, delicadeza. Mueve. Asea. Reacomoda, le otorgará un sitio determinado a las cosas. Al ter minar pasa con suavidad sus alargados dedos sobre las tapaderas. Revisa que no estén polvosas. Confirma y reconfirma la impecabilidad de su trabajo. Satisfecha, como diosa después de haber creado el mundo, regresa a su mesa. En el camino levanta insignificantes basuras. Limpia migajas en mesas abandonadas. Coteja que no haya una sola silla fuera de lugar. Ni un residuo que enturbie el piso que roza el candor de su paso. Terminada su obra, levanta el vasito de yogur vacío. Limpia su cuchara. Su servilleta. Guarda todo en la bolsa que carga. Ordena su regreso. Así, tal como entró, al caer el día, se retira con su paso alado. Inmaculada mujer ancla su lucidez efímera. Mañana, muy temprano, el sol con sus primeros rayos se posará en sus geranios. Ordenadamente la luz en su pequeño cuarto de trinos. Todos los días su radiante deambular, la geometría lineal de su vestigio. En secreto, su mirada amasa el mundo.

La mamá Gallina

Las mujeres son grandiosas, dignas de altar

COSAS PEQUEÑAS

..., como las uñas pintadas de rojo de la mujer que sube al metro con sus compras atesoradas en bolsas de plástico. Las sujeta sobre su regazo en relación tan estrecha como abrazar a un hijo. Carga, después de un día entero de asistente de laboratorio o afanadora de hospital o de hotel de paso. Las uñas cortísimas escarapeladas. Dan ganas de llorar esas uñas que acusan, que develan la faena inagotable de sus manos. Llegará a casa, la que renta o paga a plazos. Colocará las bolsas en su diminuta cocina. Veloz irá al baño, se aseará justo antes de que hijos y marido comiencen con sus hambrientas demandas: mami, por aquí, mami, por allá. Atenderá la voluntad autoritaria de su familia: alistará tenis, pantalones blancos para deportes. Vieja no seas malita, pásame una cerveza bien fría, una botana... qué hiciste de cenar... mañana mi camisa rayada tengo supervisión con el jefe. Y los pendientes de ley aplazados, suspendidos por las tareas urgentes: sacudir trapear bajar dobladillos remendar pantalones y calcetines quitar y poner ropa en el tendedero.

Avanza la noche. Poco a poco calla el escándalo y ella conquistará ese espacio de íntimo desorden. Abrirá un paréntesis. Por un momento logrará huir de su destino para abandonarse a un deseo de mujer irresistible. Allí, donde ella, como cualquier ella de cualquier parte del mundo, ha concluido sus faenas. Duermen los niños sus tareas su cena sus uniformes almidonados. El marido satisfecho, a su periódico, a la tele; en su aplomo de hombre olvidará a la mujer a los hijos. Dormita apacible. Ella, con el agotamiento a cuestas, con los deberes pausados, abrirá un espacio, ya muy noche, cuando la casa enmudece su infinita emboscada. Extraerá, cómplice y culpable, casi en secreto, casi a escondidas, en una especie de lentitud ansiosa, como quien oculta algo o miente, su barniz de uñas. Nadie sabe que se ha dispuesto al abandono trivial de lo inútil. Abrirá el cajón de su buró o el botiquín del baño. Es el momento propicio para encender un cigarrillo; escuchar la radio novela o una música nostálgica que le permita cederse a lo muy suyo. Se acomoda en un banquito. Enciende la lámpara, la reacomoda aquí allá hasta que alumbre preciso. Lima uñas, inspecciona sus manos ajadas, secas. Las sumerge en agua caliente, las suaviza. De vez en vez sostiene su cigarrillo, fuma calmosa, placentera, como visita en su propia casa. Revisa. Extingue el vestigio antiguo de barniz, borra con acetona los pequeños puntos remanentes de la semana pasada. Frota con piedra pómez las persistentes callosidades que deja el lápiz de oficina, el sacudidor, la escoba, el tallado de ropa. Poda padrastros, cutículas desatendidas. Examina. Ahora se dispone a pintar esas diez uñas que de tanta detergencia no prosperan. Toma el frasco de barniz rojo muy oscuro. Lo agita, le da golpecitos para mezclar su prodigioso contenido. No hay apuro a esa hora suave de la noche. Intenta abrirlo. El tiempo lo ha sellado. Se dirige descalza a la cocina. Prende la pequeña hornilla de la estufa, lo calienta. El adherido tapón al fin se afloja. Regresa a su recinto exacto de luz, de banquito, a sus divagaciones cansadas. Se prepara como quien está a punto de catar un buen vino. Enciende otro cigarrillo. Saca el pincel, quita el exceso de barniz lo escurre en la boca del minúsculo frasco. El olor envuelve su espacio primordial. Ha construido una valla imposible de franquear. Una mujer resguardada en tal ámbito es intocable. Arrastra el pincel, acaricia uña por uña las dos manos. Cuida que el esmalte no desborde por el canal de las yemas, que el trazo sea exacto, lo introduce de nuevo en el recipiente, el que guarda oscuro el carmín que dará a su piel un tono más claro y a sus dedos la apariencia de mujer que no trabaja. La delicada botella confiere a esos diez puntitos de sangre el distinguido rango de uñas pintadas. Dirige el cigarro a sus labios con extrema cautela. Lo sostiene un momento. Cierra un ojo para que el humo no le nuble la vista. Inhala lánguida mientras retira la mano y ausculta los atributos de su trabajo artístico. Lentamente, como mujer de mundo, suelta el humo por nariz y boca. Aguarda. Allá la televisión y su marido ya roncan con descaro. Periódico y zapatos abandonados hasta el día siguiente. Sopla. Abanica sus pequeñas manos. Plop, plop, plop: persistente la gotera del grifo. No la aflige. En estos momentos de paz infinita todo pasa a segundo plano. Todo queda suspendido hasta mañana. Sopla. Abanica. Satisfecha se dispone a darle a sus uñas una segunda túnica de rojo. Todo duerme a la hora en que una mujer pinta sus uñas. Hasta el árbol de la calle y su farol, su flor y su araña. Nada que hacer. El tiempo de pintar uñas es sagrado.

Lujuria (detalle)

ZORAIDA

No más de treinta años. Esbelta, impetuosa, cabello largo, rizado muy aza-bache. Morena, ojos graves, voz umbría. Ardiente pavesa conseguirá con pericia el objetivo que la inflame: "Hola, querida, qué lindo tu vestido" o "Ya llegó mi bebé", avienta chispas con magistral puntería. Halagüeña cau-tivará a la madre y aguardará a ser vista para musitar, en un arranque de cordialidad insólito: "mi bebé hermoso" y posará, sobre el rollizo muslo infantil una palmadita falsa. Agita la flama. A veces altanera eludirá el saludo pretendiendo estar agobiada; otras, más bien solícita, desviará su atención y volcada hacia el recién llegado le dará la bienvenida con intimi-dad apartada. Zoraida, así se hace llamar la chiribita, arroja por delante su mordaz cortesía y antes de la sonrisa o el hola habitual, te guiñará un ojo y descargará sobre ti su llama: ¿lo de siempre, guapo? Asoma el atrevido escote y tú quedas disuelto y pronto a depositar el estipendio en la consa-grada cajita.

Airosa camina por el estrecho pasillo del *Carpe Diem*. Se exhibe en infi-nitos ángulos. Hace escandalosa su entrada triunfal por una puerta, aparece sorpresiva por la otra, sacude su espesa cabellera, levanta las ancas, resalta de nuevo sus pequeños pechos que sin razón aparente te resultan ya impres-cindibles. Decanta un lenguaje remoto, modula el volumen en tonos des-iguales, vocaliza, disfruta y masculla su extranjero origen. Acariciadora y sensual habla como quien paladea un caramelo entre los labios. Timbran sus teléfonos, tan socorrida responde, hace muecas, sonríe, se contorsiona cerciorándose siempre de ser percibida. La ves. Ser el foco de atención la glorifica. Dos celulares, una cajetilla de puritos, una revista de moda, len-tes oscuros de marca sobre la mesa del balcón, al aire libre son su pedigrí, su carnet de identidad. Sólo el hombre del perico se atreverá a sentarse en el trono de la sultana. Arrimará sus valiosas pertenencias, las de Zoraida. Colocará su café, su perico, e irónico osará decirle: ¿gustas, bonita? Sofocada simula ignorarlo, pero en realidad detesta los animales y los hombres que aman a los animales y detesta también que se sienten a su mesa. Desecha la invitación, más bien la desprecia. Abandona su hacienda de teléfonos, anteojos, revistas, mientras el hombre del perico irrumpe en su territorio. También abomina a los bebés. Después de la inflamación amorosa, la madre toma confianza, le pide unos crayones, papel para entretener al hijo. Zoraida, casi ofendida, entre ardores responde: ¿por qué habría yo de tener eso?, ¿acaso soy nana o mi café, guardería? Chispea de aquí para allá atareadísima, lanza su rostro, su cuerpo divino hacia cualquier superficie que la refleje, vidrios, cucharas, vasos de agua, se admira, se reacomoda, danza sobre su propia hoguera y se invoca enamorada de sí misma, flamea tórrida, taconea estridente, mueve brazos, torso: denota en su contoneo mucho aspaviento y poco método. Enfrascada en su facha, endiosada, denota a leguas que ha ensayado mil veces frente al espejo, nunca ante un jurado. Bailarina, sí, belly dancer, tal vez en algún restaurante de un barrio marginal de su tierra de origen. Crispará las caderas hacia los hambrientos comensales anunciando total dominio sobre el furor de jóvenes, machos o hembras, no tiene carta aborrecida. Con una bocanada los carboniza; ante los ya entrados en años aparentará sumisión magnánima: una copita en su mesa, un caprichito insurrecto para después abrasarlos con el látigo de sus ardides: "para mí, menos de un mes no son vacaciones", vocifera ufana mientras revisa el barniz encendido de sus uñas retocadas a diario. Adivinas que esta favila gozaría harto de verte perdido, suplicante, loco por ella. Intuyes que necesita una víctima para alimentar su idolatría. Escota playeras, ombligo con arete y por el brazo desnudo un tatuaje de tarántula la rubrica. No hace nada. Sólo llena de huevecillos la imaginación de sus víctimas. Desova la esperanza de crecerle o tejerle tela a algún insecto impróvido, pero eso sí, con mucho combustible que la gratifique. Alguien que la atice con regalos. El continuo bambolear de su audaz servilismo y de su altanería piadosa dan como resultado una réplica solícita del interlocutor que por razones ignotas despierta una especie de devoción hacia ella, gratitud por haberse dignado a responderle o incluso a despreciarle o por devolverle su cambio, servirle café o un panecillo.

No es bonita. Su rostro áspero le otorga más edad de la que tiene y entre tanta candela la delatan sus ojos de témpano. Sabe disimular sus deterioros. Se adorna, asoma senos y, refulgente, saca a relucir su amplio repertorio de gesticulaciones. Ahora vuelve a ser amorosa con el niño, quiere enmendar el desaire: aquí tiene los plumones, dice en tono desdeñosamente dulce. La madre rehúsa; "ni modo", levanta los hombros con toda su insolencia, "tú te lo pierdes", pronuncia en voz alta y desinhibida. Conoce al dedillo sus añagazas. Las tiene más que ejercidas. No penetra tibia ni de a poquitos como quien actúa con cautela. No. Ella se proclama diosa e incendia de golpe. Así, cuando tropiezas con el hielo de sus ojos, las brasas han calcinado ya tus espejismos. Camina, se pavonea y chifla fingiendo estar contenta pero sabes que se malhumora fácil y que de un momento a otro te arañaría. No es falsa, no, es auténticamente pirotécnica. No es de plástico ni de vitrina, es ilusoria y en medio de tanto artificio la imaginas muy hembra, pero más bien sentirá aversión ante las viscosidades y olores que emana la intimidad con otro. Es lo que vulgarmente denominarían sexy y sin embargo no deja de atenazarte el terror de ser devorado por ella. Insaciable, arde en imperativos e interpelaciones frívolas. Y tú, atrapado ya en sus ardides harás todo a cambio de que te conceda con su buen humor, que taratee o chifle, que dé unos pasitos agitando la cadera, todo porque algún día acceda a dar un paseo contigo, por presumirla en público como a una auténtica pura sangre. Lo único que garantiza Zoraida es caducidad prematura. Promete enfriarse ferozmente. Apagarse tan pronto aparezca un suplente, un Fulano enmendado que le ofrezca actualizar nuevos apetitos: un celular más caro, alguna joya de mayor holgura, una pielecilla más exótica. Tal vez es enojo lo que rasga el rostro de Zoraida. Empeño vencido de Sulamita decantada de su canto. Mucho talento derrochado entre las cuatro paredes de café, la meserita.

Los siete pecados capitales, Lujuria

TENTATIVA

Vas como se va en el metro: pensando, leyendo o mirando a un otro que se ha sentado cerca y te obliga a replegarte. Te aclimatas.

Afuera la gente abandona su último vaho a la entrada del vagón que hierve. El tapiz de hojitas arrastradas por zapatos y abrigos delata un otoño que desciende. Una pareja de jóvenes negros bromea, juegan salvajes como cachorros. Indiferentes del afuera avanzan a tientas, evaporan por la fogocidad de sus cuerpos. La chica sentada, él de pie, anhelantes secretean, descaran sonrisas leves y blancas, sus intenciones cómplices. Ella brilla ojos de miel, tenue de humor y cuerpo indómito. Alargada, fragante, despliega por el escote azaroso el hechizo de sus pétalos. Se ha adornado para el encuentro con él. Anillada lleva argollas de plata en pies y manos, y a pesar del frío, sandalias y uñas rojas hermoseadas ayer. Dulce su reciente aroma de mañana. Suetercito corto deja ver el cauce de su ombligo, designio descarado que le incitará a él los ojos oscuros como su rostro de noche, le inducirá las manos hacia huertos furtivos, a fuego manso aderaza el extracto exquisito de su néctar. De bronce sólido, él con una mano la propicia y con la otra se sostiene firme, abreva afanoso en el espectáculo de la redondez que ella le brinda. Roza su aliento el laberinto espiral de la oreja de ella. Anónima los espías. Erizas al contacto de ellos, ante su vitalidad escandalosa. Desapercibido el mundo van solos, como se va en el metro, cada cual abandonado a sí mismo. Nadie te ve, excepto quien en secreto te hurga. Transitan solos en su recreo táctil. Ante tales delicias te embelesas. Los indagas intrusa. Despierta la piel aletargada bajo el grueso abrigo. Te desabrochas, apartas la bufanda. Disimulas ver un anuncio o estar en otro asunto como los demás que van muy en lo suyo. Encubres la curiosidad para no desvanecer el hechizo de su júbilo. Junto a los jóvenes una mujer mayor se escandaliza, gesticula y retrocede. Desaprueba. Tú disfrutas aún más de la indiferencia de ellos. Te complaces de su desentenderse insolente. La soltura con la que sacuden y restriegan y palabrean casi obscenos. Disfrutas. Te sonrojas ante la vertiginosidad de su sangre, de la tuya. No se percatan de la anciana enfadosa. El convoy se detiene. Rezaga su turno en la hilera interminable de otros trenes entrelazados como elefantes de circo. Espera turno. El conductor aprovecha el retardo. Ordena por el micrófono recorrerse. Quedas interrumpida de la escena. Te inclinas de un lado al otro para no perderlos de vista. Los obstáculos al fin desaparecen. Vuelve a despejarse el escenario. Involuntaria chocas la mirada con los ojos de la chica. Le sonríes vicaria, no corresponde. Por ahora ella sólo va sentada en el metro. A solas con su él, centelleante y nueva asciende en esa tarde fría para ti, de sandalia y uñas rojas para ella. Rojo quemado resalta su piel ciruela cabello largo elaborado de trencitas. ¿Quién teje el ensortijado cabello de esta niña? ¿Quién? Cuatro cinco horas domarlo alargando la rebeldía de sus apretados rizos. Bella y trenzada se sabe cuando lanza sus chispas hacia él, que, vigoroso, finge no estar loco por ella pero a leguas delata que en la intimidad estallará cada poro, lamerá y sorberá el zumo de su piel con devociones de esclavo. Osada caminas el cuerpo joven de él, sus músculos ansiosos, ansías. Sientes el deseo, la tentación de acercarte, de aspirar el aroma a ébano que estela su tibia corteza. Ella morena, encendida por sus veintitantos, toca velocísima su sexo, el de él, y sonríe maliciosa y juguetona. Asciende tu sangre por el tubo musical de sus melodiosas yemas. Te sonrojas. La vieja los condena, encoge su destemplada y solitaria rutina en el metro, hunde el ser en la lectura y huye pávida, incapaz de cotejarse viva. Lee absorta alguna novela sobre un amor imposible y vuela montada en amores de papel; seca a fuerza de retiros. Áspera. La ausencia de caricias ha enjutado no sólo su cuerpo sino su espíritu, cuarteada, impedida de deshielo se refugia bajo las alas del libro y evita ser tentada por peripecias vecinas. Irrumpes en la playa de ellos Encarnas del calor que emanan Tu corazón ha tomado su propia simetría y ya no hay modo de moderarlo desenfrenada desnudas en ellos cada tacto Evocas prohibida las noches húmedas cuando revelaste el Paraíso. El joven, en sus tonalidades de hoguera y de zarza y de gallo recién amanecido, brinca impetuoso ante la osadía de la muchacha, en su piel un rocío denuncia su deseo azabache, atrapa la mano de la chica, liba un instante de su elixir la sostiene con fuerza, la inmoviliza Una mujer cargada de bolsas se detiene frente a ellos. Desesperas. Ordena sus paquetes y anuncia insistente su salida. Reconquistas la visibilidad de tu aglomerado palco. Con sorpresa descubres que la vieja canónica ha desaparecido. No sabes si llegó a su destino o anticipó el desenlace del amor que la volaba. Junto a ellos, el asiento queda desierto y tú sueñas agitada los instantes de la ausencia, el testimonio perdido, el beso fugaz, la mano deslizando sus hirvientes yemas por el dulce surco de los pechos. Desde sus ocultamientos habrán gravitado hacia el tacto obstinado, hacia el halo defensor de su primicia; en el júbilo radiante se habrán abandonado al culto esférico y redentor del tacto. En el breve atentado inspiraron su piel, y en el arrancar y frenar del tren se frotaron suavemente. Los ves. Ahora sólo echan a llover las carcajadas. Avanza ella sentada. Él al acecho se debilita frente a la amenaza de esos pechos que dejan ver lo imaginario. Cautiva va dueña. En medio del alborotado oleaje del metro irisa su alegría de fruta joven, lo mira inocente mientras humedece la pulpa de sus labios, lo distrae, lo embelesa y con la otra mano, inesperada redunda la acción y palpa una vez más la intimidad del muchacho. Transpiras, el abrigo y la bufanda te ahogan. Casi mujer juega niña. Yergue altanera la punta de sus pechos, ofrecidos pechos asoman violentos, rebosan el cuenco profundo de sus manos, abren el apetito, instan al macho. Redimida por la frutalidad de su cuerpo tras su muy oscura tinta, sentada encumbra, danza, con el tallo largo de su torso un bailecito maléfico. Sentada exhala la imaginación de él Untan la mirada Qué secretos se arrancarán en esa caricia sucesiva de guiños y murmullos Desvaneces Entre giros y tironcitos sacian sus sinuosidades No hay afuera para tanto adentro En medio de la algarabía del metro y de tanta hojita estampada va ella en el trono universal candente y poderosa pero sobre todo frutal Él de pie se derrumba en el sendero errante de los pechos de ella que ya esbozan sus delicias y se rinde a sus mutualidades Con la naturaleza húmeda incontenida y negra dejan que el relámpago los recorra, te deslizas cautelosa, como arena entras por sus hendiduras, estás allí en ese juego, hierves, allí en el cuarto de hotel arracimados en un quiero urgente de sangre que desboca arrojada a sus imprescindibles allí justo antes de la intimidad salvaje en la que tocarán con la luz de sus manos la extensión jugosa de su piel ya muy entrada en fuegos aciruelada piel allí poco antes de abandonarse al aroma de una sábana él enloquecido desgranará y juntos devorarán sus manjares.

Lupa Espiritual

¡POR EL AMOR DE DIOS!

Surge como si estuviera oculto adentro en la caja de cables eléctricos del semáforo. Empolvado y harapiento, con el rostro endurecido, la piel quebrada y sucia. Sale en el momento preciso en el que la luz se torna en ámbar. Tal vez tenga un pacto con él, con el semáforo, pues éste le otorga los minutos suficientes para que lleve a cabo su faena. Tal vez sea un trato comercial y reparte el botín con algún policía. O quizás le paga una pequeña cuota por el uso de la caja eléctrica. Surge esta mañana ácida de diciembre con sus inversiones térmicas y su nata gris y hace juego con el asfaltado paisaje del D. F. Inesperado, con los ojos hundidos y la nariz aguileña y encarnada como buitre y el cabello seboso, aparece ahí, en la esquina de Mixcoac y Patriotismo, cada martes preciso hacia tu encuentro. Brota el mendigo sobre el pavimento deslavado. Con atavío de pordiosero experto como el de las marías. (Indígenas mercadeadas a lo largo y ancho del país. Uniformadas con niño soporífero, rebozo deslucido rasgado en la misma exacta coordenada. Donde las veas, llevan idéntico atuendo. Producción a cargo de: *Fábrica de rasgado de rebozos S. A., made in China*). Mana de la entraña misma del semáforo como bestia de su madriguera. Andrajoso. Con bastón y sombrero de paja agujereado, pies escabrosos y huesos deformes, avanza hacia ti sobre huaraches de cuero grueso con suela de llanta. No importa cuántos autos haya adelante, él te detecta. Te acosa con su mueca implacable. Cada martes el mismo intento estéril de evadirlo. Desvías el atisbo. Lo ves venir y finges. Te ocupas en alguna faena propia de automóvil mientras aguardas el siga: limpias el cenicero, ordenas la cajuela de mano, buscas un objeto perdido, bebes agua. Lo que sea con tal de no franquear las miradas. Te conoce. Cada semana ejecuta el mismo acto cruel de doblegarte. No cede a tus ridículos desvíos. Se acerca petulante como si concediera a tu súplica. Conoce la debilidad pía de tu conciencia. Años de adoctrinamiento misericordioso: las buenas obras aumentan puntos. Avanza hacia ti, lerdo, desvergonzado, saliva como animal de carroña. No aguarda a que lo veas, le sonrías, le llames o le des audiencia con gesto caritativo. Avanza rapaz. Dueño de sí mismo. Cada martes rumbo a tu encuentro. A pesar de tu esfuerzo por eludirlo emerge de la caja de cables eléctricos. El semáforo lo encubre. Lo sabes porque la luz alarga su permanencia cómplice en el rojo a su beneficio. Avanza. Inclemente apunta su rostro hacia ti como revólver y tú, a pesar de los firmes propósitos de escabullirte, titubeas, te derrumbas ante su despiadada exigencia. Se aproxima a tu auto, gesticula en voz baja. No ora o se encomienda a su buena estrella, más bien gruñe, resuella, aprieta su compungida boca, maldice. Impaciente extiende la mano. Demanda. Árida, atormentada mano por la artritis, empolvada y añosa la sacude autoritario. La sella con golpes huraños contra tu ventana y con los ojos te persigue salvaje, feroz, despiadado. Con un gesto helado te comunica: *¡apúrate!, ¿no ves que hay muchos clientes esperando?¡ Yo sí trabajo! Saca lo que vas a darme. No me entretengas.* La mañosa duración de la luz roja le brinda el tiempo cabal para pasar la báscula por la línea de automovilistas hasta que la verde lo devuelve a su lugar de inicio. Amargo e impertinente reclama con movimientos grotescos. Su mano sedienta y codiciosa reclama. Jamás agradece. Cada martes a las diez treinta de la mañana te lo propones. Nunca más volver a darle a este miserable. Te impones rechazar, ahuyentar su arrogante, uniformada traza de harapo. Pero te vence la urgencia de adjudicarte el monopolio moral que cunde entre los de tu clase; esa buena mala conciencia con la que has sido infectada. El de ojos de piedra y manos agrietadas adultera en ti la esencia primordial de la dádiva. En vez de compasión incita tu ira. Te conoce. Sabe cómo has sido educada: dar con alegría, con devoción, con gracia. Tú das, él te despoja. Para justificar tu cólera inventas su historia. Palpas en el interior de ese gesto de lija, de esa expresión infame a un borracho, misógino, explotador de menores, golpeador iracundo. Ni aun así logras eludirlo. Cada martes invariable coincides con su aparición y la complicidad del semáforo que lo anida con su sanguinaria luz y el momento de la exigencia no demora. Volteas a un lado, a otro, buscas a un conductor cómplice, alguien que reafirme la moción de tu rechazo, que sienta como tú, que conozca su hábil petitoria, que no se deje intimidar por su pregonada e hipócrita desdicha. Sabes que en el momento que te alcance azotará contra ti su ya muy fatigada vejez como bofetada contra la ventanilla del auto. De vuelta a sus ojos, a su mano iracunda. Su imposición a ultranza y su denuncia feroz: *eres de esa gente que come sin hambre*. Te sobresaltas. El hombre apela a tus principios. Te conoce. No pide, blasfema. Rclame su católica pobreza frente a ti y encuentra consuelo morboso en la penitencia. Si tan sólo mostrara un poco de humildad. ¡Por el amor de Dios, una sonrisa! Una pizca de gratitud. Este pordiosero no retribuye. Intentas ponerte a la altura de su desgracia. Pero no gratifica, ni otorga la garantía fundamental con la que un acto de generosidad recompensa. No hay reciprocidad en nuestro intercambio. Lo único que esperas es que sea un mendigo como tal. Que te devuelva con humildad una imagen digna de ti misma. Se aproxima. Eres la siguiente en la hilera. Destemplado te ve a los ojos, te insta: *no comiences con tus evaluaciones moralistas de si merezco o no merezco tu ayuda. Desembolsa y punto. No me veas suplicando lealtad, ni servil reconocimiento o fidelidad por tu heroico acto. No pongas en tu ingenua balanza los dichos y hechos de mi vida para justificar tu limosna ni expíes tus pecados conmigo. Cuando me veas venir adelanta el dinero, tenlo listo, abre la ventana y evítame el esfuerzo de pedirte. No me embarres tu caridad tasada y mucho menos pretendas, con tu mojigata piedad, enseñarme cómo ganarme la vida*. Intentas ahuyentarlo y simulas total displicencia. El mendigo persiste. Con aparente parsimonia te agachas para esquivarlo. Él aguarda. Lo haces lentamente, con la ilusión de que renuncie a su ambicioso extorsionador propósito. Pero sobre todo para provocarlo, en venganza por su mal modo, para que aprenda a pedir con gracia. Permanece de pie junto a tu auto. Te observa. Tú dilatas aún más la limosna. Nerviosa te ajustas la falda, bajas los botones. Tal vez el semáforo... Es inútil. El mendicante pide sin pudor y tú, con resentimiento, evitas la inmerecida limosna. Detestas que vierta sobre ti su saco roído, su despojo. Con su anonimato de hilacha y polvo, y sus ojos vacíos, golpea su garra sucia, despiadada, contra la ventana del auto. Exige. Vencida, con mansedumbre de esclava, levantas tu bolsa como quien saca una bandera blanca a media batalla. Lentamente recorres el cierre. Finges no encontrar la cartera. Hurgas distraída. Fracasas. Cuando alzas la cara él sigue ahí, enfrascado en su maledicencia. Impávido. Adherido a tu ventana. La luz roja perdura. Avergonzada tomas la cartera. Extraes la limosna en un acto de enmienda por su tez oscura y su infame reproche. Tu pronta y dócil respuesta incita aún más su vehemencia. Te apresura. Abres un poco la ventana. Afuera la estridencia, el olor acre de la calle y su respiración agitada de fiera. Extiendes con temerosa repugnancia la moneda. Su mano feroz te hiere. Si tan sólo agradeciera, si te concediera un pequeño, insignificante gesto de complacencia. No. Ese hombre no suplica. En tonos disonantes y crónicos demanda. Esa mano sucia deja ver lo peor de ti. Desnuda tu necesidad de ser reconocida, desenmascara tu deleznable benevolencia. La frágil blandura de quien se ve forzado a ser bondadoso. Sometida extiendes tu ayuda. Él, con un dejo de conquista, casi perverso, manosea tu limosna. Perturbada por su cercanía evitas rozar tu piel con la suya. En un intento involuntario de buenos modales te denuncias; esbozas nerviosa la complaciente sonrisa, tu derrota. El de harapo y labios rencorosos y ojos mordientes se complace. Da un zarpazo voraz y esconde la moneda. Masculla entre sus labios flacos una andanada de blasfemias y te ve, te ve directo a los ojos con todo su desprecio. Jamás baja la vista. Más bien te punza con su filo. Su mano sucia, agrietada por los años. Su mano inexorable, delatora, cada martes maldice tu dádiva y a todos los de tu estirpe. Él, quien reverencia el dinero más que nadie, denigra el tuyo. Te denuncia con este acto de piedad despiadada. Sus ojos de azote y su mano impostora rompen el precario orden de tu pequeño mundo hecho a la medida. Malagradece. Encarna su deseo despojándote del tuyo. Él, poderoso, arrogante. Tú, rasgada y deslucida, con tu mojigata piedad *made in China*. La ensangrentada luz roja no cede. Ahí, en la esquina de Mixcoac y Patriotismo, tú y ese hombre, habituados a su semanal odio, con el mutuo desprecio que los une. Allí, por siempre. Eternamente uno frente al otro.

SEGUNDA PARTE

A todos los demás

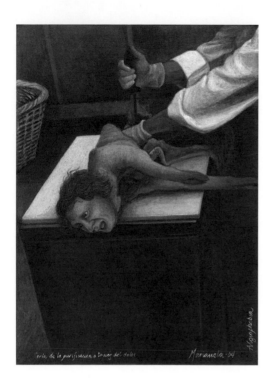

Purificación a través del dolor

PRECURSORA

Ahí va. La entierran sola, descompuesta, un viernes de diciembre, antes de que el Sabbat impida los servicios funerales. La entierran en la callada y paciente fosa adquirida hace más de veinte años, con grandes sacrificios, cuando él casi fallece de un ataque al miocardio. Así lo dicta la tradición. Él no pudo asistir al sepelio, se encontraba muy grave, y su esposa, por lo peculiar del asunto, tampoco; permaneció leal al lado de su cercenado marido y juntos lamentaron, en el desolado cuarto de sanatorio, su pérdida. Asimétrico se incorpora en su hospitalaria cama. Aploma el valiente torso y cuida de no jalar los puntos de la herida. Enciende los ojos, mejora el semblante y cobra una oscura fuerza: basta de lágrimas, mujer, tanta humedad hecha a perder las cosas. Clama el hombre con voz disipada pero complacida y casi desvergonzada: dame un cigarrito, no seas mala, fumemos como en los viejos tiempos, festejemos que estoy vivo. La esposa borbollea nostálgica: no se puede, viejo, ya no; seca con la esquina almidonada de la irremediable sábana la humedad que según su marido enmohece y debilita. Seca sus ojos sucios de lágrimas y recuerda sus tambaleantes sesenta años de matrimonio.

Cuatro días la luna de miel en Cuautla. Ahí, en el maloliente cuarto de hotel, la joven emprende el adiestramiento para el suministro de toda clase de medicamentos, mitigantes de jaquecas, úlceras, acideces, piedras de riñón, hipos incesantes, antihistamínicos, anticoagulantes, lavativas. Antes que nada, y para lo que se ofrezca, lavativas. Se habitúa la mujer a la enfermedad, la aprehende. De amor, muy poco en aquel viaje de bodas. A su regreso, el examen gastroduodenal y el suministro de bario: no deje usted de tomar su laxante, don Isidoro. Diario dos litros de agua. Qué le pasa a ese doctor, está chiflado, yo no tomo laxantes. ¿Dos litros de agua? Ándale viejo, obedece, es por tu bien. No hace caso, no se toma el laxante ni el agua, y de emergencia a destaparlo, a romperle con cincel y martillo esa roca que se le ha formado en el intestino y luego de una larga intervención ¿cuánto le debo doctor? ¡Óigame!, ¿por qué tanto? El médico hace acopio de paciencia, respira hondo para no golpearlo: es la operación más puerca que he realizado en mi vida, es usted muy terco, don Isidoro, me salpicó de mierda, ignoró olímpicamente mis recomendaciones y le parece mucho lo que cobro. Y él, redimido de la podredumbre, satisfecho, fuerte como un toro bufa con aires de triunfo, se agiganta, avanza victorioso soldado que ha vencido otra batalla. Paga de mal modo y enciende su Delicado sin filtro.

Los hijos la entierran sola. Allá los padres zozobrados aguardan bajo la luz hueca del cuarto de sanatorio. Cruelmente la luz alumbrará el desequilibrio fantasma de don Isidoro. El cementerio enfría sin rezos, sin rabino, sin mujeres plañendo. Sólo las hijas sollozan la disminución del padre. El hijo reniega de la tradición, le parece absurda, supersticiosa. La fosa aguarda fría hasta el final del sendero. Habrá que recorrer tantas tumbas, tantos los muertos antes de librar el corrupto entierro.

Seca sus lágrimas la esposa, busca sus Delicados tras un mueble de madera pintado de verde pistache, todo es color pistache en el sanatorio. Se arrepiente. Teme despertarle el mañoso vicio al que convalece. Recuerda, muy joven el infarto del esposo. Lo siento, señora, dice el cardiólogo; hice lo posible. Y ella, la esquiva mujer, ya sabe calmar sus nervios con cigarros y valiums, fuma y se medica y ya se complace padeciendo. Pobre de ella, tan joven, con tres hijos y viuda. Y la sorpresa reiterada, el desahuciado no fallece. Al contrario. Cada embate lo devuelve más enaltecido. Cada desplome pone a prueba su invencible cuerpo. Cada victoriosa salida del hospital un nuevo coronamiento.

Cargan entre los tres hijos la pequeña caja: Raquel con su depresión y sus antidepresivos trajina zombi por el cementerio. Samuel, de úlcera sangrante, reniega y piensa en la fosa con alivio. La Nena obnubilada de migrañas y piedras riñoneras se preocupa por el desorden de su bolsa. La Nena alivia sus dolencias con potentes narcóticos y haciendo orden. En las noches de dolor intenso, se medica y se pone a ordenar cajones, clósets, despensas; la ropa por colores, por estilos, por medidas, aunque sean tan sólo tres trapos, no le hace, acomoda, ordena los espacios más inhóspitos, alacena, bodega, archivos. De la nada le da por vaciar su bolsa que más bien es un botiquín y bajo la tremenda vapuleada pro-orden, el bolso escupe excedrines, imodiums, gaviscones y prozacs y no se diga aspirinas, toallas sanitarias, tijeritas, pañuelos, pinzas, estuche de maquillaje, cepillo de pelo, de dientes, lima. Donde sea mitiga el dolor y escombra.

La entierran los tres dignos hijos de un malsano padre: se afligen. Aprenden a crecer crónicos. La vida para don Isidoro es una especie de desafío a la muerte. Alienta impúdicamente, cigarro a cigarro, la decadencia y se pone a prueba. Un placer grosero asciende en la familia. Han aprendido a mostrarse el cariño a la mala. Venciendo como su padre el dolor, doblegando la carne, el destino. Así sondea, don Isidoro, la fortaleza de sus hijos. Al son de la santa punzada.

Recuerda la esposa mientras el marido ronca a intervalos y se queja inconsciente bajo el efecto de la morfina. Mi guerrero turco, así le dice pues don Isidoro nació en Turquía, sabe plegar los aullidos de su estridente organismo; toma el Juárez Loreto para ir al trabajo, pasa por San Juan de Letrán o por Corregidora, y ahí los merolicos: qué no le digan, qué no le cuenten, pase, confírmelo usted mismo, a ver, el que no quiera acercarse, que se acerque: ¿a quién le duele, le punza, le lastima? Y con ese tosco estímulo de retar la vida, con su porte de un metro cincuenta y su cabello amarillo, y sus Delicados sin filtro, en medio de aquella raza de cobre, blanco como leche de magnesia, quejoso, con la minucia de quien está por dar inicio a un ritual bendito, enciende un cigarrillo, honda la fumarada levanta su mano, señala un punto preciso dentro de su boca. Pase usted mi don, tome asiento, y en medio de la algarabía, silencio, saca el merolico una pinza, ábrame grande la boca, güerito, no parpadee, mi don, y a modo de cirujano le extrae el dolor y muestra al público la muela como se exhibe un trofeo. Todo por veinte centavos, no está mal, piensa don Isidoro orgulloso. Así, al estilo de un bárbaro mediterráneo, pequeño y desmedrado y rubio como la hija, con el afán ciego de gloria y la fuerza y dignidad que le ha otorgado su tolerancia al dolor, desarraigó diente tras diente, su dentadura toda.

La mujer de don Isidoro aprende a padecerse, de a poquitos. Casada desde los quince, aprende. Cigarro a cigarro va usurpando la fuerza que la enfermedad otorga. Igual que su marido con el pellejo a prueba. Saca ventaja de cada martirio. Lleva el dolor como aureola. La afección le ha concedido el poder que tiene la llave sobre la cerradura. Con la justicia lastimera con la que sólo una madre sabe atrapar a las hijas, cínica y sufriente su amarga queja: nadie me visita ni me cuida ni me acompaña. Y las hijas susceptibles a la enferma codicia de la madre, se debilitan, la custodian celosamente y son limpias, hacendosas igual que doña Dolores que guisa como un ángel para don Isidoro. Ollas y sartenes relucientes. A sus diecinueve ella también ama el orden, la aspiradora, el trapo y ya le enoja el desarreglo como a su patrona. Raquel y la Nena quieren ser como Dolores, muy limpias, esmeradas y sobre todo, serviciales.

Sale don Isidoro invicto, si así puede llamársele a la reducción a la que ha sido sometido; sale de su cuarto color pistache con tanto brío, con la vehemencia que estampa la nicotina en sus adictos.

Allí la han dejado los hijos. Cercenada y sola en su cajita, en la fosa comprada con tanto esfuerzo. La precursora ya sin cuerpo, sin rezos, sin plañideras. Sólo las hijas le sollozan.

Una semana en casa y una en el sanatorio. Así, por una razón u otra, se turnan sus hospitalizaciones como si fuese un concurso, marido y mujer, ambos unidos a un tanquecito de oxígeno que les ablanda los pulmones secos por el tabaco. Entre recaída y recaída, a escondidas los cónyuges chupan sus Delicados cómplices desafían su desenfrenado vicio.

Pero hace dos semanas don Isidoro se puso muy grave. Ora sí va a descansar el infeliz después de una vida sobrellevada a golpes. Ochenta y cinco años, no quiere irse. Subsiste anclado al suelo de un hospital privado que los contrariados hijos solventan. Tres semanas de agonía y aún guarda fuerza. Quiero levantarme, gruñe. En una especie de comprobación de sí mismo, como flamingo, se sostiene tambaleante en una sola pata; no ha probado bocado y se sostiene. Luego la gran recaída. Dice la Nena, una tarde mi padre cabeceaba inquieto bajo los efectos de los sedantes, ya había levantado el cuarto y ordenado mi bolsa y pensé aprovechar el momento para hablarle, tranquilizarlo un poco, poner en práctica mi curso de tanatología. Lo hice bajito para no atestiguarme. En silencio como quien se aproxima temeroso a un explosivo: no te apures, papá, todo va estar bien cuando te vayas, despréndete, suelta los cordones flacos que te atan, sube, ve donde te llaman; todo va estar bien aquí, no te preocupes por mamá, estamos nosotros para cuidarla. De pronto, el estallido. Como arrebatado por una fuerza de otro mundo, con la expresión narcotizada, chimuelo y con el cabello amarillo, lacio, encebado, alborotado, ausente de arrugas lindándole el rostro chato, sin canas ni estrías que palien su irreversible descenso, con su corta humanidad de apenas uno cincuenta y treinta y tantos kilos tambaleándolo, con su joroba y sus pinchazos fantasmas, conectado a los tubos que dilatan su existencia, dueño de su vida, protegido, quizás, por el mismísimo diablo, desigual y enjuto, con el rostro informe de quien ha hecho de la enfermedad un arma, un símbolo de superioridad y dominio, con la fuerza de quien ha crecido en la sombra, soltó don Isidoro un bramido pastoso, seco de tanta medicina y tropezado por la falta de dentadura, en un espasmo de enojo ciego y cubierta la frente de sudor frío, le aulló a la hija: ¡No me hables así, no estoy muerto! Y rompió la tregua. Sí, nos vamos, pero a la casa. Paga la cuenta y sácame de aquí que estos desdichados se hacen ricos con los ahorros de una vida. Vamos y enciéndeme un cigarrillo ahora mismo. Horrorizada por la delgadez de su padre, se avergonzó la hija de haberle hablado en secreto.

Está grave y le rezan. Alberto, uno de sus yernos, Beto de cariño, es religioso, usa kipá, carga el libro de oraciones en edición compacta, se balancea. Reza Beto y don Isidoro agoniza. Se escucha el zumbar de las plegarias, calladito, con mucho fervor para que su alma descanse, la de su suegro. De pronto el que se extingue revive, como quien absorbe una descarga eléctrica adquiere una fuerza bruta, se sacude endemoniado, crispa la expresión ya de por sí acalambrada: ¡No me recen! Díganle a ese miserable que no estoy muerto todavía. Exclama en un impulso inútil, el guerrero turco batalla por vencer el último aullido de su obstinado cuerpo.

Otra vez los hijos al cementerio. La fosa ha esperado paciente durante un año. Fría, gangrenada al final del sendero. La madre va en su silla de ruedas con el tanquecito de oxígeno en primer plano.

Allá don Isidoro. Sólo la muerte logró acallar su escandaloso cuerpo, su mal humor, su tiempo inútil, insignificante tiempo agazapado en quehaceres de oficina, de sumadoras y jefes. Pequeño hombre en tamaño y dimensiones; nimios anhelos: su bolillo fresco, caliente, recién traído de la panadería, su salsa verde, de las benditas recetas de doña Dolores, bien picante, mujer, café turco y sus Delicados sin filtro. Así pobló su menudo horizonte.

Allá va don Isidoro, el soldado oblicuo. No hay ceremonia. El rabino no oficia el acostumbrado discurso de despedida tal vez por falta de tiempo. Los jóvenes que cargan el féretro no se detienen siete veces antes de llegar a la fosa que aguardó paciente la hora para hospedar al resto de su huésped.

Aquí va vencido el turco. Su pequeña caja lo espera dentro de la tumba. Esa es la tradición judía, sepultar una por una las partes mutiladas del cuerpo. Los más religiosos entierran hasta el prepucio de sus circuncisos. Han de estar completos para cuando el Juicio Final los alcance y los muertos se levanten de sus tumbas.

Aquí va don Isidoro para su agujero. Hacerle compañía a su solitaria pierna, la que conoció la madriguera, la morada eterna. La precursora, gangrenada, mutilada pierna que se le anticipó a la muerte.

Cuando llegue el Mesías y don Isidoro reviva, se va a levantar y ya no estará cojo ni desnivelado.

Gone with the dream

REALISMO MÉGICO

A Olga, su amistad, su talento

El próximo jueves a las siete treinta, ¿te parece? Comenzaremos a tiempo. Cruza a pie. Te espero frente al sitio de taxis. Siete en punto.

A las seis treinta Enriqueta aparca su auto en el estacionamiento de la frontera. Abre la cajuela y busca entre las docenas de escritos guardados en cajas de cartón el poema elegido para esta lectura. ¡En punto!, decretó Gloria, amiga y colega en ese tono draconiano que tienen las organizadoras. Gloria la invitaba a participar en la inauguración de una nueva casa de cultura en Tijuana. Como de costumbre, la poeta aceptó gustosa. Tenía una disposición olímpica para este tipo de eventos; un deleite, una alegría, un regocijo natural para involucrarse en programas de radio, *performances* en museos, librerías, cafés, traducciones, videos, antologías, visitas peregrinas a cementerios, bares, grupos *dark*… Una lectura en un nuevo centro cultural resultaba tan tentador como un buen Oporto en una tarde lluviosa. Consintió a pesar del cansancio crónico que sufría su insomne columna habituada a escribir después de la media noche. A pesar de la enfermedad de la madre, la decadencia intoxicante del padre, de los ires y venires a Chihuahua, a pesar del difícil parto de la hija, del encargo de cuidar a sus tres nietecitos, de la visita de su hijo y nuera recién llegados de Alemania, a pesar de todo aceptó la invitación en absoluta quiebra emocional y física. Enriqueta era indómita. Una franca apasionada de las lecturas poéticas. Rebelde. Subversiva. Al acecho de límites y convencionalismos. ¡Poesía! En cualquier idioma, Poesía: en alemán francés japonés árabe inglés o español. Poesía. Velada o radiante. Poesía.

¿Era acaso la musicalidad, la entonación, los ritmos, el aliento, lo que propulsaba a Enriqueta? ¿Tal vez la turbación de escuchar a poetas jóvenes? ¿La tentación de traspasar la línea? No. Más bien miedo a sucumbir en la parálisis del hábito; a ser dilapidada por la vida familiar, su voracidad característica; por el horror a desaparecer, a fundirse en una existencia anónima; a ser una rama más de ese tronco de sacrificadas a las que había servido devota y que ahora, después de cuarenta años... Sí, era de ese miedo atroz de donde extraía el brío para desplazarse de un lado al otro sin importarle fronteras.

Enriqueta conocía Tijuana como la palma de su mano. Te retractas. Enriqueta aborrece los lugares comunes amén de que ésta es una aseveración inexacta. Casi nadie conoce la palma de su mano, sus líneas incógnitas. Más bien, y esto será más de su agrado, diremos que conocía Tijuana como se conoce a un amante. De modo ambiguo, exponencial, idealizado y fanático. Allí crecieron sus hijos; allí la hermana, las amigas, el mercado, los restaurantes, el dentista. Enriqueta arraigaba su ciudad en carne propia.

Extrajo de la guantera el Chanel Nº 5, su favorito. Se embalsamó con generosidad para dejar a su paso la fragante estela que la define: más fauces que jardín de rosas. Guardó en su bolso el frasquito. Retocó el maquillaje, su labial rojo sangre. Aliñó su pañoleta con delicadeza: un nudito gracioso. Ajustó el atigrado diseño del saco elegido especialmente para este acontecimiento. Se apeó del auto, abrió la cajuela, y ahí, tras las palas, cubetas, rastrillos, coladores, carritos de arrastre, sombrillas y otros juguetes de playa, escondidas en lo más recóndito, cuatro cajas con sus escritos vitales. En aquel baúl móvil, el archivo oficial y secreto de su poesía: biblioteca sagrada. Profana. No sabemos por qué eligió nuestra poeta aquel escondite. ¿Excentricidad, miedo a ser sorprendida, hábito, por alguna de sus exóticas fórmulas matemáticas como la de *el invariante de Arf-Kervaire y la hipótesis del día del juicio final*? ¿Por paranoia?, o porque en algún lugar de su agudo inconsciente planeaba huir con aquello que según ella era lo único que realmente le pertenecía.

Enriqueta Rossi precisaba, como se necesita un buen Merlot, tener a la mano el voluminoso peso de sus treinta años de escritura. Extrajo de una caja el cuadernillo rosa de Barbie, el que contenía su más reciente colección de poemas. Lo guardó en su portafolio y se cercioró de tener sus tres pares de lentes, dos en la mochila y uno en la bolsa de mano. Aborrecía el nerviosismo de no encontrarlos cuando lo requería. Metió también una botellita de agua y su imperioso amuleto. Una pequeña edición de poemas de su autora predilecta, Emily Dickinson. Leyó devota, casi supersticiosa unos versos:

SIEMPRE que escucho la palabra fuga,
se me acelera el pulso,
crezco en expectación,
en vocación de vuelo…

Después de caminar un largo corredor saludó amable y cautelosa a los cuatro militares que revisan con fastidio a quien ingresa a los Estados Unidos Mexicanos. Empujó la reja giratoria por la que no hay vuelta atrás, a menos que se vuelva a la hilera infinita de autos que esperan, pacientes o no, ir al otro lado; a menos que haga la cola de peatones dos o tres horas; a menos que pase migración y su inhumana prepotencia, su escrutinio racista; a menos que decida regresar a tierra estadounidense ¿salva y sana?

Empujó la reja circular y disfrutó el rechinar de aquellos fierros oxidados tan familiar a sus oídos. La sensación era siempre la misma. A pesar del mugrero y del rancio olor de fritangas, a pesar de tanto perro callejero rondando, meando y cagando las aceras y a pesar de las tolvaneras que arrastran y levantan la porquería y desacomodan su cabello teñido de rubio cenizo, y de ese tufo a drenaje que flota única y exclusivamente del lado mexicano, a pesar de todo eso, experimentó como siempre, el alivio y la alegría de volver a casa.

Llegó al sitio de taxis amarillos acordado con Gloria. Miró el reloj. Seis cincuenta. Reacomodó el nudito y el saco atigrado. Aplacó su melena indomable y se aproximó hacia los puestos de jugos y tacos para sentirse un poco más acompañada. Seis cincuenta y cinco. Inquieta comienza a ir de aquí para allá. El viento frío en aquella esquina persiste en encresparla. Olvidé mi sombrero, se recrimina. Repasa mentalmente un fragmento del poema que leerá:

Para ser una más en el juicio final
me ovillo entre millones de peces y cetáceos
junto a moscas y gusanos
digo
hoy es tiempo
de morir…

Gloria le había prometido tener la computadora para pasar los videoclips que su amiga Kate realizó especialmente para sus dos poemas. Ella grabaría sobre algún tema de su interés personal y Enriqueta sobrepondría un poema suyo en ese tiempo preciso. Ve el reloj. Siete y cinco. No aparece Gloria. Se recrimina no haber preguntado la dirección del nuevo centro cultural. En esas andaba cuando de pronto vio aproximarse a un pit bull sin cadena ni dueño que lo jale. El feroz can se le arrima sin la menor reserva. Levanta del suelo, justo debajo de donde ella se encuentra parada, el desperdicio de carnitas que desciende en caía libre desde los tacos de los comensales. Para nuestra poetiza la aparición de aquella bestia le recuerda al monstruo sumerio Huwawa e invoca el espíritu de Enkidu para doblegar su peligroso instinto. No cabe duda, asevera, esto es un pésimo augurio. Tal vez sea un castigo divino por cruzar la línea. Por dejar a mi hija a la deriva con una criatura recién nacida. El animal le lanza un vistazo rápido, pero por el momento parece interesarse más por las carnitas desperdigadas en el suelo. Enriqueta se percata del agitado diseño de su saco y teme que eso excite la furia de la bestia. Ahora le surge la imagen de Lancelot luchando con el dragón. Con un movimiento lentísimo, casi imperceptible, intenta cubrir aquel provocador estampado. Qué destino el mío, se lamenta en su habitual tono trágico. "Poeta fronteriza devorada junto a puesto de carnitas". El pit bull se acerca. La olfatea. Parálisis. Incluso respiratoria. Sólo el intenso latido de su corazón que desborda por el pánico. La presión sanguínea sube por su torrente a velocidad astronómica. Se debilita. Con suma cautela extrae de su bolso el frasquito de perfume y esparce a su alrededor el Chanel Nº 5. Jamás imaginó tener la astucia para engañar el finísimo olfato de un carnívoro ante la exuberante producción de adrenalina. Mi medicamento, pensó alarmadísima. No traigo mi medicina para la presión y si ahora me desmayo caeré rendida al apetito del monstruo. Mira a su alrededor y comprueba que las posibilidades reales de su salvación son ínfimas. Los comensales absortos espantan a sus obstinadas moscas. A punto de pedir auxilio una voz masculina pronuncia su nombre: ¿Enriqueta? Tras un giro imperceptible descubre que el llamado proviene de un apuesto joven. Enriqueta se lanza a los brazos del héroe que acaba de salvarle la vida.

¿Maestra, se encuentra usted bien?, pregunta sorprendido por la sacudida. Se ve un poco pálida. Todo bien. La poeta se reincorpora y ajusta el nudito de su pañoleta. ¿Lo conozco de algún lado?, tartamudea aún bajo el efluvio de su imaginación excesiva. Para no tambalearse se sostiene discretamente del brazo musculoso y valiente de aquel gentil caballero. No creo, maestra, soy Julián Sáenz, Gloria me pidió que viniera por usted. Está ocupadísima. Perdone la tardanza, llegaremos muy pronto. No se apure, Julián, y para sus adentros... un instante más y me habría costado la vida.

Entre tolvaneras y tráfico llegaron al 133 de la calle Chapo Martínez. El centro cultural se ubicaba en una cuchilla apresada entre dos ráfagas de viento helado. Frente a ellos una extraña construcción en forma de barco cuya popa prácticamente toca el otro lado. En la banqueta, el chasis de un auto de los años cincuenta acribillado a balazos ostenta una bienvenida decadente. A un lado de la construcción, un negocio de viveros muy frondoso otorga a esa lúgubre escenografía un aire de renovación y esperanza. Sígame, maestra, le dice Julián. Enriqueta obedece.

En la primera planta, el taller de grabado, en la Línea Gráfica. Qué buen nombre, comenta ella ahora completamente relajada. En el tercer piso, una majestuosa terraza con una larga banca de madera y más de cincuenta sillas listas para la audiencia. Centro Cultural Casa del Túnel, presenta... Y ahí, en ese espacio con vista panorámica, hacia ambos lados de la frontera, un cartel con el nombre de Enriqueta Rossi y otros cinco poetas locales. El lugar, inmejorable. Los enormes macetones de barro rebosantes de plantas. El colorido chillante al estilo México. Al fondo una mesa larga adornada con alcatraces, fruta, bocadillos, vino de Baja California. Hola Enriqueta, bienvenida. La saluda Gloria un tanto aturdida por la cantidad de gente que la felicita. ¡Magnífico proyecto! Comenta Enriqueta y también la congratula. No pude llegar. Espero que Julián te halla recogido a tiempo. La Rossi evoca aquel inolvidable momento y tras un escalofrío épico sonríe: todo salió como lo planeamos.

Gloria inaugura el evento y explica que el lugar donde se encuentran sentados (o parados para los que ya no alcanzaron asiento) fue construido en la década de los cincuenta. El último de sus inquilinos fue el encargado de construir el famoso narcotúnel descubierto y clausurado el 8 de julio del 2004. Las exclamaciones del público zumban como avispero. La gente voltea en una dirección y otra. Fascinados confirman cuán cerca se encuentra la frontera. Enriqueta ve desde su lugar el estacionamiento donde dejó su auto y piensa en su hija, sus tres nietecitos, ¿qué estarán haciendo? Se inquieta al pensar que su acervo poético yace solitario en la cajuela de su auto.

La lectura dio inicio con media hora de atraso. Había anochecido y las luces de los dos países comenzaron a tintinear como dos enamorados cautivándose. El público respondió entusiasmadísimo. Los aplausos resonaron a lo largo y ancho de aquella extensa terraza. Rossi volvió a pensar en su hija. Tal vez el eco de aquella ovación podía escucharse al otro lado. A la hora del brindis la gente preguntó si podían bajar a conocer el túnel. Ahí, las escaleras por donde los ingeniosos topos descendían para cruzar su cuantiosa mercancía.

Tijuana, su amada Tijuana, luchando por levantar la cabeza sobajada. Por reivindicar a esa Meca de la droga. En La Línea Gráfica, un intento por darle un matiz estético a esta violencia desbordada. Amurallada ciudad, vigilada por la Border Patrol y las huestes del Homeland Security y las modernísimas cámaras que vigilan cada paso, cada gemido, cada movimiento humano y que apuntan hacia México como cañones de guerra.

Enriqueta caminó hasta tropezarse con una masa descomunal de concreto que más bien parecía lava petrificada. Ahí, erigido frente a nuestra poeta se levantaba el majestuoso muro. Qué ganas de cruzar por el túnel, atravesar la línea sin patrullas ni aduaneros ni migra ensañada. Transgredir con el cuerpo y la palabra. Enriqueta cavila. Cuántas veces su poesía había atravesado esos muros. La idea del túnel trae a su memoria algunos versos: Profanar el reino de las cochinillas, ciempiés, gusanos… Irrumpir el universo del moho y la sombra…

Con su habitual curiosidad, nuestra protagonista se aproxima a Julián y en voz baja: oye, ¿y qué hicieron con las toneladas de tierra que excavaron? El joven lleno de orgullo responde, ¿recuerda los viveros que vio a su llegada?, refiriéndose al único paraje verde a la redonda. La vendían, maestra, miles de sacos. Tan baratos que hasta la exportaban al otro lado.

A veces, me siento humano

¡AY CHI UAGH UAGH UAGH!

Vieron a Julia por primera vez en P. B., una playa privilegiada para perros. Aquí en los Estados Unidos hay playas para perros, a las otras sólo pueden ir humanos. Era chihuahua, pelo largo. La conocieron al año de la muerte de Fidelito y luego de haber jurado y perjurado nunca más volver a encariñarse con otra mascota. Reincidían. Como alcohólico o fumador o drogadicto o como aquel que después de un atracón de azúcar jura nunca más volver a comer dulce. A pesar de sus firmes propósitos, reincidían, incurrían en la transgresión de faltar a una promesa y juntos empollaban una vez más la ilusión de tener otro perrito. Para habituarse a la idea comenzaron a frecuentar la playa de perros los fines de semana. Un domingo tras otro, de sombrilla y libro y *lunch* casero. Horas y horas dedicadas a observar la diversidad de razas; perros saltar olas, hacer hoyos en la arena, corretearse. Los castrados, pelear, mostrar colmillos, y sobre todo resentir a los que todavía montan, levantan la pata y mean sillas, refrigeradores portátiles, zapatos. Perros de colores tamaños y formas variadísimas, correr sobre toallas y petates, empaparse en el mar, sacudirse sobre alguna víctima seca y bien vestida. Fue allí, bajo la sombrilla, que, en uno de tantos domingos de sol y brisa helada, se le acercó Julia. Sin titubeos, como quien saluda a una vieja conocida, se echó a su lado y consintió en que la mujer la acariciara. Claro, con clase, sin súplicas relamidas ni alharacas chillonas ni molestos y arenosos brincos ni mordisqueos ensalivados. Muy digna, Julia aguardó a que la mujer se desvaneciera al tacto de su sedoso pelambre color beige con blanco, a que ensoñara con la posibilidad de un perrito igual a ella. Luego, ya más en confianza, se subió a su regazo y circunspecta ofreció su aterciopelada pancita para que se la rascara. Chihuahua pelo largo. Los tradicionales de ojos saltones y pelambre corto les parecían menos agraciados. Yo prefiero otro pomerania, afirmó él convencido. Ya los conocemos, argumenta, nos fascinan, acuérdate de Fidelito, exhorta sus argumentos con el fin de convencerla. Para ella es distinto. Prefiero incursionar en otra raza. Prevenir los inevitables: Fidel hacía, Fidel tornaba, Fidel tan jubiloso, vivaracho, etcétera. El recuerdo de Fidel les había impedido pensar siquiera en otra mascota. Los cautivó con su pronta disposición para complacerlos, para alegrarles la vida haciendo trucos: maromas, saltos de la muerte, desmayos. Su peculiar carácter, mezcla de can y felino, hacía de él un perro independiente, capaz de interesarse en sus propios asuntos: la ventana, el acontecer de la calle que dominaba desde las alturas del séptimo piso, su comida, por la que jamás se avorazaba… sólo sus minúsculos pasos al acercarse al plato seguidos por el tronido esporádico de una o dos croquetas trituradas con sus diminutos colmillos. Correr a la puerta, ladrar agudo al pasar de extraños, alegre y dulce al darnos la bienvenida. Fidel disfrutaba de participar en discusiones, opinar con sutiles aullidos, mirar, desde su menuda perspectiva, a cada interlocutor. Algunas veces, cuando los enfrentamientos de ellos eran más acalorados llegaba a angustiarse y lanzaba un gemido penoso, otras, con delicados lamidos los apaciguaba. En honor a la verdad, entre Fidelito y la mujer había una complicidad axiomática. Casi siempre abogaba por la causa de ella acercándosele en forma protectora. Sabía distinguir entre un atuendo de calle y uno de parque. Cuando veía tacones altos se resguardaba bajo la mesa, acarreando resignado algún juguete para consolarse. Si reconocía tenis o sandalias aguardaba en un "sit" inmóvil y con mirada inteligente anticipaba su correa en el cajón para salir al parque.

Conocemos la raza, reiteró él. Pero ella seguía renuente a las molestas comparaciones, a revivir tristes recuerdos. Está bien, asintió él complaciente, doblegado más que por los argumentos de su esposa, por la dulzura de Julia. Busquemos un chihuahua.

Sí, había transcurrido un año desde la anunciada muerte de Fidel. ¿Anunciada? La muerte de un ser querido, por más que se pregone siempre resulta imprevista. Ella anticipó la muerte de su mascota en un incipiente cuento de cacería. Cuidado con la literatura, repite ella desde aquella fatal coincidencia. Sí, justo al año de la muerte de Fidel ellos volvían a entibiar la idea de tener un perrito. Se ablandaban ante el romántico recuerdo de su fiel compañía, de la gama inagotable de diversión, reto y hasta observación científica. Reincidían. Él por inquietudes profesionales. Años de estudio sobre el comportamiento animal. Ella más que nada por volver a disfrutar de aquella devota adoración, por la añoranza de un amor absoluto, por reproducir esa mirada atenta, pendiente de sus pasos, de sus más leves intenciones. "Oh, Dios, se dijo muchas veces a sí misma, permite que me convierta en la persona que mi perro cree que soy." El reverente amor de Fidel por ella le reveló el significado literal de "beber el aliento." Por eso incurría ella en el anhelo de tener un cachorro y por la emoción de volver a iluminar su horizonte con el latido, la entrega incondicional de un ser de no más de dos kilogramos de peso. ¡Decidido!, buscaremos un chihuahua pelo largo, beige con blanco como la deliciosa Julia.

De regreso, una parada ociosa en la tienda de mascotas. Una revista sobre chihuahuas prefigura buen augurio. Buen augurio, reitera ella. En la portada la fotografía de un pelo largo beige con blanco. De la revista al internet y, después de un rato de navegación internáutica, el teléfono de un criadero de chihuahuas ubicado en Ciprés. A hora y media de su casa. Llamaron. Dudosos y aterrados por la inminencia de materializar su deseo: ¡otro perro!, ahora sí, la probabilidad acecha: improntarse, entrenarlo, limpiar sus suciedades, por insignificantes que sean, sacarlo al parque y, lo más delicado, encariñarse. Quince, dieciocho años de vida, de intensa convivencia, si el destino no decide otra cosa como con Fidelito. Sí, responde él, mi esposa y yo buscamos un chihuahua pelo largo. ¿Da a luz el mes que entra? Excelente, ¿usted nos llama?, repite cuidadoso cada frase para cotejar que comprende aquella difícil dicción. Pregúntale de qué tamaño es, cuánto va a crecer, qué carácter tienen los padres. Él se impacienta, ¡cálmate! No entiendo nada, la mujer habla raro, le dice calladito a su esposa tapando la bocina. Usted nos avisa, nosotros vamos.

Como emblema del proyecto ella engrapó a un fólder de papel manila la fotografía de la revista y la colocó sobre su escritorio junto con la dirección, el teléfono y el mapa para llegar al criadero. A media semana una llamada de Ciprés interrumpe la rutina. Tenemos un cachorro, dice la misma voz empastada e incomprensible. Un comprador arrepentido. La chica lo encargó como regalo de aniversario. Una sorpresa para su novio. El caso es que el cachorro está disponible, ¿le interesa?, pregunta insistente la mujer que ante todo piensa en realizar una venta. Él se esfuerza por entenderla. No sabe si es la mala conexión telefónica o si aquella dicción tropezada todo lo enturbia. Cuando el novio se enteró de que se trataba de un chihuahua: esos perros son de putos, olvídalo, y la chica con el dolor de su alma canceló la compra. A media semana, suspenden todo: chamba, escrito, ropa en la lavadora. Toman el auto, el fólder manila y el recuerdo de Fidelito en la memoria. Su dulce carácter, su hábito de dormir de espaldas, de quedarse callado los domingos hasta que ellos despertaran, su correr inagotable y alegre alrededor de la mesa, su perseguir ardillas. En aquel entonces cuando Fidel todavía vivía, ella desistió de concluir aquel cuento fatídico. Al parecer fue demasiado tarde. La imaginación había echado a andar el destino. En la historia abortada una pareja discute exaltada y se extravía en el bosque. Atentos en encontrar el camino de vuelta van confiados en que su perro los sigue. Una detonación interrumpe la acalorada polémica. Corren hacia donde se escucha el disparo y he ahí su perrito muerto. Fidel, el desafortunado protagonista de aquella historia.

Dimitió concluirlo por aquella superstición omnipotente que cunde entre los escritores de que lo que se escribe se cumple, explica ella atemorizada por sus propios poderes. Pero a pesar de haber abandonado incluso aquel cuento, ella, la que tanto amaba a su mascota, la que conoció el amor incondicional al lado de su cachorro, ella, involuntaria asesina, echó a rodar esa fuerza misteriosa y fatal que obra sobre los hombres y las cosas. Lo prefiguró en aquel cuento interrumpido demasiado tarde. Fidel no murió traspasado por una escopeta sino arrollado por un feroz automóvil que lanzó su indefensa y ya inerte perreidad bajo una hermosa jacaranda. La víspera de su muerte, como si la presintiera, marcó por última vez su territorio. Levantó la pata y orinó prolífero sobre el pantalón de ella.

Avanzaron ligeros hacia su renovado sueño. Muy pronto llegarán al pueblo de Ciprés y la calle de Kenmore. Las dos horas del trayecto sobre la veloz autopista; noventa millas por hora van esfumando el anhelo de futuro al que vivimos condenados piensa ella optimista. Buscan el 7072 de un extremo al otro de la calle. La cuadra entera se especializa en criaderos caninos. Bromean: si los chihuahuas no nos convencen aquí mismo elegimos otra raza. La recorren cuidadosos en busca del 7072. Una y otra vez pasan por una casa azul pastel que repudian de tan cursi, por mera incompatibilidad de gusto. Ojalá no sea ésta, piensa ella afectada por el placer de coincidir con lo análogo, con lo afín a sí misma, por la costumbre de alejar lo que es distinto. Azul pastel la casa, macetas, flores de plástico todas azules y el 7072 de Kenmore de un azul cobalto muy chillante. No importa, comentan resignados y animosos con la imagen de Julia ondeando orgullosa en la portada de la revista, cada quien su gusto. Pero ese desencuentro inicial encaja la primera astilla. El timbre mañosamente oculto tras los múltiples aderezos de aquel jardín sintético: Hola, hola, ¿hay alguien allí?, llaman varias veces sin recibir respuesta. En el patio que da a la calle, un chihuahua canoso y rechoncho intenta ladrar sin ningún éxito. Nunca antes habían escuchado a un perro afónico. Una mujer de aproximadamente un metro ochenta y cien kilos de peso abre la puerta. Llamamos, no hubo respuesta, explica él disculpándose. Tengo mis métodos para averiguar cuando alguien llega, advierte la anfitriona con su elocución pegajosa y oscura. No habrá sido el anciano afónico quien le avisara comentan ellos en voz muy baja. Buscamos el timbre, repite él y ve hacia el cielo para no tropezar con los descomunales pechos que se desbordan de la camiseta roja de licra adornada con estoperoles. Pasen, y se adelanta un poco. Sus nalgas redondas, infladas a reventar como dos enormes globos, monumentales podrían sostener, sobre su cima, una taza llena de café sin derramarla. Enorme mujer avanza con sus longitudinales zancadas. Ellos aceleran el paso para emparejarse. La cabellera roja hasta los hombros y un flequito muy corto dan a la mujer un aire trasnochado de colegiala. En el patio interior, dos fuentes decoradas con animalitos de cerámica, de esos que se ganan en las ferias al jugar tiro al blanco. Un oso tamaño natural, también de cerámica, da la bienvenida con los brazos abiertos y señala en dirección al jardín de césped sintético. Pasen, anuncia cordial pero grumosa. Poco a poco comienzan a aparecer docenas de chihuahuas pelo largo. Uno y otro y otro más hacen su aparición tras su ladrido sordo. *Uagh uagh uagh uagh uagh uag* (léase esta emisión de asonancias como si una cáscara de manzana se les atorara en la garganta). La jauría de chihuahuas en coro apocalíptico se desgañita, emite un sonido rasposo y aterrador desde sus asfixiados gaznates. De manera discreta él se dirige a la descomunal mujer en una interrogación atónita. ¿Qué tienen?, ¿por qué ladran de ese modo?, pregunta con la esperanza de salvar, de darle dignidad a esa escena tan dislocante. ¿Epidemia? No, no, no, Dios nos libre, responde desde su muy connotada experiencia: *ladroctomía*. Se les han amputado las cuerdas vocales. Esterilizar mascotas y mutilar cuerdas vocales son prácticas muy arraigadas en Norteamérica. Tantos perros juntos hacen mucho escándalo, continúa muy docta la vikinga, y los vecinos no pierden oportunidad para quejarse, usted sabe, repite con una especie de muletilla punzante y una miradita cómplice: las demandas son carísimas. La esposa, atónita, lo mira a él en busca de refugio y sospecha la extraña perversidad de una mujer de estas dimensiones criando chihuahuas. Pasen por favor, dice en voz baja para no desentonar con aquel concierto carrasposo. Finge un tono amable y presume el quirúrgico silencio del que goza aquel recinto. Bambolea su monumental cuerpo, nos conduce a una celda oscura en donde guarda al codiciado cachorro. Mareados, con las vísceras enrarecidas por el silenciador encuentro, la siguen. La mujer abre con garras pintadas de rojo la jaula y coloca al perrito sobre la palma de su mano. Desciende parsimoniosa desde su inconmensurable altura. La tremenda Godzilla desciende para liberar a su amada presa. Al fin llega hasta el frío y sucio piso de cemento donde ellos aguardan ávidos de jugar, de conocer al soñado animalito.

Un manojo de manchas irregulares, negras, cafés y blancas, comienza a corretear muy agitado alrededor del cuarto. A cada intento de ellos de tocarlo, una tentativa suya de salir huyendo. Sonrisas nerviosas de la pelirroja disculpan los malos modales del perrito. Él y ella obstinados se esfuerzan por encariñarse con el pequeño malcriado. Un intento tras otro de ganarse la confianza de aquel animalillo que dista mucho de la bella Julia. Como ustedes saben, enuncia la voluptuosa mujer desde su colina, el color es rarísimo. En el mercado de chihuahuas se pelean por ellos, ¡mirto pelo largo!, muy cotizados. Ellos desconocen la supuesta belleza de los mirtos. A su parecer es un perro huidizo y desconfiado con apariencia más bien de callejero mal nutrido. Eso sí, emite una vez más la mujer totalitaria, ¡jamás lo crucen con otro mirto!, salen ciegos o sordos por tropezones genéticos. Mientras, el desdichado can, más alterado que nunca, escapa hacia los confines de una esquina de la mazmorra. Ellos, disimulados, aplauden, hacen aspavientos para comprobar que este miserable mirto, además de huraño y feo no sea sordo o ciego por algún desliz hereditario. Lo intentaron con infinita paciencia. Más de una hora hicieron gracias, sonidos ridículos para ganar la confianza del mirto. Con las rodillas envaradas y los pantalones sucios deciden al fin levantarse. Lo pensaremos, sabe, no estamos seguros. Aquella mujer de camiseta entallada y estoperoles y flequillos de párvula,

como toda una empresaria y sin perder más tiempo extendió el índice pro-
longadísimo de su zarpa escarlata y de manera brusca les indicó la salida.

Ahora el oso de cerámica, otrora hospitalario, separa los brazos en ademán feroz para ahuyentarlos. El recorrido por el jardincillo de plástico y
de animalitos de feria resulta insoportable por aquel coro destemplado de
estertores. El anciano afónico, primero y último de los chihuahuas, en código
secreto y cómplice, notifica a su dueña, *uagh*, *uagh*, nuestra salida.

Siempre hay una rendija abierta al miedo

UN ZÁNGANO EN EL BALBOA PARK

Un gesto no se hace: acontece y cuando
algo acontece no hay escapatoria: [...]
toda voz es un signo, toda palabra forma
parte del mismo texto.
CHANTAL MAILLARD

¡Déjame en paz! ¡Déjame! ¡Vete! ¡No! ¡No! ¡No! ¡Hijo de puta! ¡Déjame! ¡Vete al carajo! ¡Déjame!

Tremendos golpes, improperios altisonantes suben acústicos, como en sala de conciertos, hasta un séptimo piso. A esa hora se eleva también el aroma limonado de los imponentes eucaliptos del Balboa. Un hombre solo reta sin quiebro al bote de basura que descansa bajo la inmensa palmera del parque. Rompe su diapasón con un jadeo furioso y exaltado, como invocando, invocado por alguna fuerza terrible. Pocos minutos después, extiende sobre el rozagante césped su cobija de vivos colores, se acomoda, abraza su mochila dócilmente. Joven, escuálido, ve al infinito con la mirada en fuga, un tanto triste. ¿Pausa? su alborada unos instantes. Con la placidez de un perro dormirá, anticipada siesta a las nueve de la mañana en un tibio día de septiembre.

Ui-o ui-o ui-o ui-o ui-o, la sirena de una patrulla desentona. La del 702 ha reportado el ruidoso incidente. La remilgosa que reprueba árboles navideños o cualquier otro tipo de adorno en balcones: no somos vecindad, objeta, hay que tener clase; la de las notitas amonestadoras y anónimas, la que neurotiza el reglamento, inquisidora, antimascotas, presidenta honoraria del "Health and Beauty", programa de higiene en el Balboa. Ella, la del 702, atajada tras la ley ejerce su derecho de ser libre, lo deporta. Sobre él, todo el peso de la palabra deportado.

Entra la patrulla por el pasto: ui-o ui-o ui-o ui-o ui-o ui-o, se dirige justo hacia el joven rubio, el de barba dorada, piel muy blanca y mirada azul tenue, duerme templado. Identifícate, identifícate, aúlla el oficial, desciende como un dios de su nave y se aproxima hasta un punto estratégico; lentes oscuros, acecha con la mirada polaroid: identifícate, inexpresivo el rostro atado a su uniforme, a los números de su placa: identifícate, feroz pero legítimo: identifícate y coloca su temible mano junto al revolver. El joven se incorpora, frota los ojos y escala en tono espinoso: ¡Hijo de puta! ¡Déjame! ¡Déjame! ¡Vete! ¡No! ¡No! ¡Déjame en paz! Vete a la mierda al carajo su musical denuncia, exhala con frenesí báquico, con tesitura insólita propaga, ausente de un adversario real, en una especie de descarga diabólica, al borde de su condición humana.

Sobresaltado el policía pide refuerzo. El oficial pareja se apea de la patrulla, lanza un bramido desde su muy uniforme, pero nada de lo que dice se escucha. Para aquel muchacho absorto en su queja, todo es un mover mudo de labios; la estereofonía de sus maldiciones estremece el parque y opaca cualquier intento policial de callarlo.

Atención, atención, a todas las unidades, tenemos un H5150 ubicado en el extremo norte del Balboa y la Sexta. Surge triunfal una segunda patrulla. Intermitencia de luces, sirenas: demostración tosca de botas boleadas y emblemas pulidísimos. Dos policías de formidable estatura e inmejorable forma descienden del automóvil, se dirigen resueltos hacia el lugar de los hechos. Los brazos tensos al costado del cuerpo permanecen temibles. Desde su resonancia el joven: hijo de puta, déjame, déjame, maldice en tono continuo sus alucinaciones acústicas, no se percata ni consiente interrupciones. Cada intento policiaco de aplacarlo lo irrita más y desencadena el impromptu de su máquina de insultos. Su ansiosa repetición funda una verdad asediada. Protesta contra alguna injusticia cometida en su contra. No hay escapatoria para el ilícito: ¡Vete a la mierda!... Libera la barítona ristra de insolencias su salvaje opereta. Clave 33, un 999, la autoridad solicita nuevos refuerzos. Una tercera patrulla atraviesa impune el pasto. Llega en apoyo de sus infructuosos camaradas. Hasta el momento imposible aplacar al insidioso. Ahora son seis los hombres que rodean al chico, no se le acercan. Permanecen a distancia circunspecta y activan las preguntas obligadas: Quiéneresdóndevivesenquétrabajasetc. Es inútil. Sólo la ardiente retahíla puntea, vibra el Balboa. La del 702 encabezará urgente una junta de vecinos para redactar la queja formalmente: al presidente de la mesa, del patronato, al delegado: A quien corresponda... Los policías aguardan serios pero abstractos; por lo pronto sólo obedecer órdenes comandantes, mantener el cerco, observar, salvaguardar la tranquilidad del parque. La más mínima provocación del chico, un movimiento en falso daría pie a acciones detonantes.

El clamor incontento del ejecutante rubio, suéter rojo y zapatos corroídos se aferra tiernamente a su mochila. Más que forajido semeja a un artista frente a su público. A más volumen, más suave la expresión azul clara de sus ojos. En un mundo donde su condición es muda: ni familia ni casa ni vecinos ni trabajo ni carnet de identidad que lo ampare, sólo su voz se escucha; sólo el constante proyectar a los cuatro vientos, sin blanco preciso sus entonados escarnios.

Una cuarta patrulla aparece al encuentro. Ya suman ocho los que aguardan a que al chico se le apaguen los tronidos. Los agentes, como en *Matrix*, se multiplican: idénticas botas distintivos lentes oscuros estaturas músculos. Hay quienes se hechizan ante la almidonada pulcritud de un uniforme: sean bomberos, doctores, pilotos... Tal vez la del 702 sea una de ésas. Sueña, conjetura los abultados bíceps que ofician y queda derretida ante el despliegue de hermosura y de poder de estos aquiles: marginar al marginado, resuelve, la del 702, la suerte no visita al desprovisto, más vale prever que lamentar, repite enamorada de sus lugares comunes. Toca su horizonte en la nariz y suspira con alivio al saberse responsable de denunciar el peligro. La maniobra policial es la misma: ulular de sirenas subir al pasto estacionarse bajar del auto caminar hacia el joven amedrentarlo. Esmerados y despóticos los oficiales saben obedecer órdenes pero saborean la posibilidad de soltar amarras a sus apretados manuales: dar sentido al diario bruñir y limpiar de su ociosa arma. Cada patrulla un nuevo intento: doblegar al chico, aterrarle con rugidos y macanas. Es inútil. El joven no improvisa. Todos los días muy temprano, ejercitará, en algún parque de la ciudad, la expresión vocal de su rasguño. Sin esfuerzo, su vibrante garganta clama y turba a sus autoritarios. ¿Desisten? Imposible acallar las repercusiones disonantes. Lo cercan, esperan un designio de alto mando. ¡Déjame! ¡Déjame!... Las modulaciones redundan invencibles ante la incitación policíaca. El joven arroja su blasfemia al interior de sí mismo, hacia sus propios fantasmas. ¿Hay ley que lo prohíba? Vocifera el parque tan bello tan quieto tan inofensivo en su crescendo vigorosísimo. Ante el abanico de anatemas, la del 702 anhelará que de una vez por todas extirpen la calamidad del parque, que le apaguen el volumen definitivamente. Sacude el Balboa ante las cuerdas divas del joven. Clama su ardor desde un tiempo impreciso anudado en la garganta. Invisible pero sonoro, grita sin el escrúpulo de ser avasallado, sin la previsión de una conciencia, ¿acusa?; salda su deuda con el miedo y nos hace subsidiarios de un desamparo a solas. Que lo acaben, aclama la del 702 y alivia su moral severa.

Atención, H5150, ¡oficial Robert Bravo, reporte el avance de su H5150! Todo bajo control, supongo. Negativo, mi capitán, responde Gonzáles afónico. ¡Hable más fuerte, no lo escucho! Negativo, levanta la voz el oficial abriéndose espacio entre los alaridos del chico; negativo, todavía más fuerte; solicito más apoyo, pide a todo volumen para que lo escuchen. Cinco patrullas sobre el abatido césped del Balboa. Mañana otra hueste, la de los jardineros, picará y humedecerá la tierra para restaurar los daños infligidos al impecable césped por las cinco patrullas. Por lo pronto diez legales al servicio del operativo "Zángano gritón en el Balboa". Tal vez lo que prosiga sea notificar al ejército. Desviar a un batallón de su actual guerra para que venga a contener el desenfreno disonante del muchacho. Nada, nada lo detiene, ni calma el furor de ese rosario de insolencias: ¡Vete al carajo! ¡A la mierda! ¡Hijo de puta! ¡Déjame!... acusa enérgico su reclamo. Brilla dorada su barba y su cabello lacio. Su voz estentórea parece escapar de su mochila, la abraza fraternalmente. Vibra el parque y ni un peatón se atreve a aproximarse a la peligrosa escena. Sólo la del 702 muy de cerca con sus binoculares, muy protegida acolchonará las maledicencias con su walkman: Sonata de Chopin para piano, mientras arrastra el trapo sobre alguna superficie que la empolva.

Tanta prepotencia oficial y tal vez una palmadita, un trago de agua bastaría para apartar al joven de su ¿alucinación terrible?

La policía se relaja, desiste; comentan uno con otro, surgen algunas risitas aisladas, aturdidos y ridículos ven sus relojes: hora del almuerzo, luego la ronda a escuelas, auxiliar niños a la salida de clases.

A sus órdenes mi capitán, aquí González. Responde a una llamada de la comandancia.Entendidocapitáncambioyfuera. Recibe órdenes. Las acata. Tal como entraron se retiran. Claro, más discretos. Sin tanto melindre, ni triunfalismo de sirenas. Mecánicos y obedientes despejan el parque. Suben a sus patrullas los deslucidos oficiales de botas y hebillas sucias y sudorosas, desaparecen sin ademanes heroicos. Queda una, la primera, con sus dos oficiales afónicos y hostiles. Cruzados de brazos aguardarán a que el ímpetu se aplaque por sí mismo. Luego expedirán la infracción correspondiente al tipo de delito, la depositarán casi sumisos a los pies del intérprete procurando no encenderle de nuevo el artificio.

De pronto, como quien sale de un sueño extático, ¿sin percatarse de lo ocurrido?, el joven rubio se levanta, limpia pantalón y suéter rojo, toma su cobija, la sacude, la dobla meticuloso, la guarda con ternura en su mochila, se da media vuelta, con su pasito renco oprime el botón del semáforo para peatones, espera paciente y respetuoso su turno para cruzar la calle.

Estoy necesitado de carne

AMOR NO ES LO QUE TE IMAGINAS

Viene de regreso después de un día empinado de trabajo. Las 6 p. m. buena hora para noticias, algún programa de análisis político. Un poco escucha la radio otro poco revisa su día: la junta con directores, el sindicato, el papá de Mari que no sale de terapia intensiva. Piensa en su mamá. Ahora mismo le llamo a mi Gordis para que nos prepare algo rico. Unos tamalitos con atole de fresa y la telenovela, *Los Caudillos*, que tanto disfrutamos juntas. Voy para allá, le dice en tono cálido, como marido fiel que llama a la amada para avisarle que vuelve a casa. El tráfico agobiado a esa hora cuando la ciudad entera concurre en los tres carriles del Periférico. Nubes de humo, tolvaneras, chipi chipi: febrero en el D. F. Automovilistas malhumorados, autómatas, aturdidos, tocan el claxon, mientan madres, escuchan rock pesado o alguna entrevista frívola de radio. Igual que ella, después de una persistente jornada, van rumbo a casa, a un bar, a una cita. Nino Canún sale al aire. A ella le entretiene oírlo, aunque esa generación de locutores chatarra enguata el espacio radiofónico o televisivo con redundancias y repeticiones al estilo merolico de avenida Juárez. Pero a ella, a esa hora álgida en medio del tendido infinito de autos, la relaja este rezongo post-hipnótico, le permite ir y venir a su antojo. Recuerda algunas meriendas en compañía de su padre, temas tajantes llevados a la mesa después de escuchar un programa. Conversaciones acompañadas de tortas y café con leche. El padre ha muerto y ella, a cargo de su anciana madre, de sus insignificantes caprichos, sus canarios, su conejo Blas, muy gordo y consentido, sus dos perros recogidos de la calle y Marco Polo, el pez, vuelta y vuelta en la pecerita redonda, las vecinas los miércoles, su clase de Biblia, los domingos misa muy temprano y churros recién hechos afuera de la iglesia, pan de dulce con chocolate. Se preocupa por el préstamo que solicitó a la empresa para sacar un auto de agencia. Un Ford, color vino, su preferido. Hace cuentas y más cuentas, sus mensualidades, las cortinas y alfombras nuevas que le regaló a su mami el diez de mayo y que firmó con su crédito de Sears. Atrás, como música de fondo repica Canún. Tilda al PRD y repite, repite lo mismo de formas distintas y ella puede abstraerse, divagar y volver sin perder el monótono hilo. De pronto, entre los cientos de automóviles que calientan el pavimento sucio, le parece reconocer el Chevy negro, pasado en años y con un corazoncito ya escarapelado que dice: "Siempre tuya". Sí, sí, es el de Arturo. Qué casualidad. Habrá salido temprano de su auditoría. Arturo, su novio, su compañero hace ya más de quince años, contador, muy bueno, auditor avispadísimo y paradójico. Cuida el dinero ajeno y él, siempre corto de fondos, siempre en deudas, siempre con su Chevy moribundo. Acelera su deportivo. Ella hubiera preferido cuatro puertas para la comodidad de su Gordis que carga con varios quilates de más, así le dice a la gordura de su madre para no ofenderla, pero era el único en color vino y no quise malgastar el golpe de suerte y la oportunidad de préstamo de la compañía. Avanza tanto como puede en aquella marabunta automovilística. Nino continúa con su chisme de lavandera. Divulga corruptelas del partido de izquierda que se las da de muy derecho. Escucha a Canún, pero no quita los ojos del Chevy negro. Tal vez podríamos ir a un bar, tomar una copita, escuchar jazz y con sentimiento de culpa piensa en llamarle a su madre: Gordis, no me esperes, hay demasiado tráfico. Saca el celular pero le parece ver a Arturo acompañado. Enciende las largas varias veces, no se inmuta. ¿Quién? ¿Quién puede venir con él un miércoles por la tarde? ¿Chucho, su vecino? No creo. ¿Quién? ¿Algún compañero que le pidió aventón a la salida del despacho? Se acerca otro poquito. No sabe por qué, pero el estómago se le comprime. Un manojo de cabello largo y sedoso asoma por la ventana. Será la secre del ingeniero. Un brazo delgado y ágil danza al ritmo de alguna música cachonda. ¡Qué mal pensada! Rebasa con cautela aquí y allá, para poder distinguirla. Paty, su hermana, no, más bien Camila, su sobrina. No seas imbécil, eso es imposible, viven en Puebla. Es otra mujer. Una desconocida. Cambio de estrategia. Trata de camuflarse. Canún destroza a los perredistas: videos, sobornos descarados. ¿Cómo?, ¿cómo otra mujer si Arturo y yo…? Muy joven, parece, por el jugueteo del brazo que culebrea y baila al ritmo de… ¡el disco de José Luis Guerra que traemos en el coche!, el que le regalé de cumpleaños, ¡maldito! No, no puede ser. Arturo va embobado, embebido con la joven. Ni un momento retromiró ni se asomó a los espejos laterales. Sólo sus senos y sus piernas firmes bajo una minifalda atrevidísima como hace quince años conmigo, cuando por primera vez... Él casi casado, casi padre de familia. Yo recién egresada de la facultad. Tardó tanto en divorciarse, que si por los hijos, que si el qué dirán. Años separados bajo el mismo techo, no tenía para sufragar gastos de abogados. Son absurdos. Bien dicen que la falta de dinero mantiene más familias unidas que el amor o la iglesia. Y para qué presionarlo. Yo, mis obligaciones, ayudar a mi cuñada con aquella terrible crisis de diabetes y José mi hermano sin chamba. Así mejor. Cada quien su casa. Él sus hijos, ella sus padres. Juntos, algunos viajecitos furtivos, los sábados al cine. Una vez le pidió prestado. Es apremiante, dijo, y ella, ten, sin pedir explicaciones. Pagó a plazos hasta el último centavo. Los presentó una amiga, se gustaron, se atrajeron, se entendieron, él rebelde del 68, ella idealista. Seguramente lleva a la hija de algún compañero a su casa. Eso es, claro, alguien que no conozco. Intenta acercarse, pero de pronto su carril se detiene, Dios mío, sólo esto me faltaba, un automóvil averiado. Los ojos no se detienen con el tráfico, viajan rastreando el corazoncito escarapelado hasta perderlo entre docenas de automóviles. Arturo, absorto en la chica, conduce su destartalado Chevy rumbo a la dolorosa salida a Cuernavaca. A punta de encerrones y malabares los alcanza. Una llamada más a la madre para no preocuparla: Gordis, el periférico sigue imposible. Ceno por aquí cualquier cosa. Sí, al Vips, al Charco. Sí, Gordis, me voy con cuidado, claro, traigo puestos los seguros, sí, los vidrios cerrados, ya sé, ya sé, Gordita, muy atenta. Sí, los asaltantes. La chica más encaramada y él más y más abandonado en lo suyo, olfateándola, poseyéndola ya en la imaginación perversa y anquilosada. No puede ser, alucino, es el efecto de respirar tanto humo, tanto plomo acumulado, y rechina las muelas mientras guarda el celular en su bolsa, el muy bruto anuncia anticipado su salida. Van rumbo a Insurgentes. El programa de Canún termina. De pronto repara en que ha pasado ya una hora. Apaga el radio. Ahora sólo un asunto la ocupa. Cazarlo, cazarlos. En el silencio del interior de su auto con asientos de velour, también color vino, y aire acondicionado, aúlla el latido de su pulso. Un microbús se le cierra justo a tiempo para no ser sorprendida. Otra vez el muy estúpido con la direccional advierte. Un hotel de paso. ¿Qué hago?, ¡qué hago! Santísima Flora mártir de los traicionados, aconséjame.

El Chevy bufa por la rampa. Arturo entra satisfecho, tan hombre de mundo, maneja con una sola mano, con la otra... Su mente regresa a la primera vez en que la llevó a un hotelucho hace más de quince años: agáchate, me dijo. Temblando descansé mi cabeza sobre sus piernas y él, como a una gatita, acarició mi cabello, tranquila, tranquila, no pasa nada. Se estacionan en el garaje. Anota el número. Aguarda paciente. Toma el espacio contiguo. Su corazón no para, la boca seca y esos bochornos insufribles que a últimas fechas la bañan. Calma, calma, se repite mil veces para no caer desfallecida, para no atajarlo a gritos. Un sinfín de escenas se arremolinan involuntarias. Los designios de la mente son caprichosos: ve a su padre, tan apuesto, tan prudente, tan chapeadito en su caja de muerto, el conejo obeso atravesando el pequeño patio de su casa tras el pastel de zanahoria que le cocina la Gordis con mucha mantequilla los canarios con su escandaloso amarillo y naranja y su chapotear en la tinita nueva las amigas de los miércoles devotas y mojigatas rece y rece mientras sus maridos les pintan el cuerno a colores. Todo eso al tiempo que se baja del auto, cautelosa, hacia el pasillo. Intercepta a la camarera: es inminente señorita, necesito me permita y enrolla un billete de manera muy discreta, no puedo, responde contrita la mujer al verla tan padecida. Cuántos maridos *in fraganti* en cuarto de hotel para asesinarlos en los brazos de su amante, cuántas escenas idénticas, aquella mucama. Se lo ruego, señorita, sólo tocaré a la puerta y como por arte de magia, en esa afinidad de almas, en la que a veces, muy raras veces, dos mujeres se hacen cómplices, la deja entrar sin aceptar un centavo. El pulso late enloquecido. Toca. ¿Quién?, pregunta Arturo en ese tono arrogante, tan de hombre que conquista, tal vez mordisquea un cigarrillo como estrella de cine. Silencio, un instante. Respira hondo, con voz fingida: recamarera, señor. Él abre, tan campante, la toalla envuelta en la cintura. Quedan atónitos. Ella, porque ya no cabe la menor duda. Él... Allí, frente a frente sus ojos desploman quince años de fidelidades, de viajecitos clandestinos, de préstamos urgentes y sueños y planes futuros para agrandar el despachito. Ni una palabra derrama ella. Sólo ese silencio de dinamita a punto de tocar la flama. Silencio de asesina. Él, con su toalla a rayas típica de hotel de paso y su pecho enjuto y sus tetillas flácidas, casi lampiño, cabello ralo, encanecido. Con sus piernas escuálidas y sus pies descalzos llenos de juanetes. Sobre sí, todos los rostros de hombres desenmascarados se derrumban. Baja la mirada sumisa en la más íntima de las deshonras. Con voz casi infantil murmura: amor, no es lo que te imaginas.

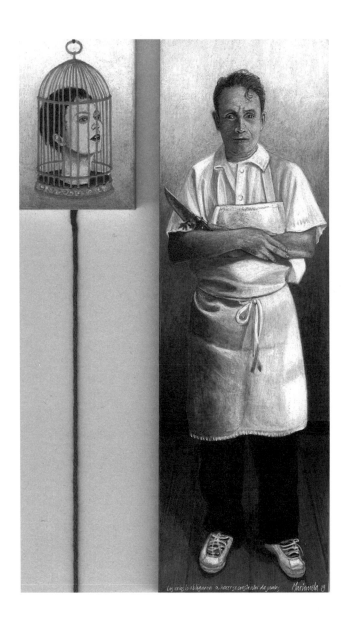

Los celos lo obligaron a hacerse constructor de jaulas

UN SOLO BESO

Amor es un no sé qué,
viene por no sé dónde,
envíale no sé quién,
siéntese no sé cuándo,
mata no sé porqué,
E finalmente el enconado amor,
sin romper las carnes nos
desangra.
OVIDIO

¡Auxilio!

Corres al homeópata

Emergencia: el botiquín

En el mejor de los casos: suicido

Matarlas

¿Matarme?

Eran una de esas parejas reclutada por los ímpetus del destino más que por la pasión desenfrenada.

¡El botiquín! Lo abre, lo cierra, ¡Auxilio!

Nos conocimos por coincidencia, él soltero, caleidoscópico, dado de sí, de su seductora historia. Ella, dos hijos, sentimental, penetrante, insegura:

No ha dejado de ver a esa muchacha, presupones dudosa,

unta su mirada en los jugosos senos de la joven,

reaccionas con la candidez y el extraño gusto de tener y ser tenida, atraída por ese estado inicial y brevísimo en que los celos son un juego inofensivo de posesiones;

baña sus ojos en los glúteos jóvenes y lozanos, sus hambrientos ojos…

la mato

lo mato

Él le declaró: me gustas, soy hombre leal y me la juego. Involucrarme contigo implica renunciar a otras posibilidades. Lo dice como si el sacrificio que está a punto de realizar ameritara un agradecimiento de tu parte. Lo dice mientras desliza su sagacidad sobre el cuerpo convidado de la muchacha que pasa frente a nosotros.

Me bajo del auto
él atónito:
¡qué hice!
¡Vete al diablo!
Se conocieron por azares del destino
sin arrebatos hollywoodenses,
fría la sangre
de él

fría y absuelta de sobresaltos, sabedor de que el arrebato debilita al arrebatado y otorga poder inaudito al aludido.

Te cautivó su currículo, su descarada libertad, su natural desarraigo; su discurso nutrido de anécdotas salvajes en un santuario de monos, aquella mujer, Sue, a la que amó tanto, las tardes lluviosas de tertulia encendida de puros y oporto, y ese mágico desplegarse del tiempo a su lado.

La está viendo:
¿es la rubia o la castaña?
estás loca
¡Auxilio!
enloqueces

Te enamoró su historia lejana. A él tu arraigo. Se gustaron; más que albedrío, providencia, arresto cósmico, capricho divino. Y es que la casualidad acaba por disponer de casi todo lo que alcanza. Él por sus alas y ella por sus raíces.

¿Lo intentamos?,
y se mudó a su casa, a la de ella. No por el ansia arrebatada de amantes que ya no soportan vivir separados sino para consumar el obstinado capricho cósmico.

Te deslumbró su sencillez, su barba tupida y esos diez años de vida salvaje. A él tu talento, tu disciplina, tu trabajo conciso
¡Auxilio!,
ha vuelto a enganchar su mirada, la escolta cauteloso tigre al acecho, la atrae con esa sonrisa infalible, ella se pavonea discreta bajo su escote.

Tú eres el que les das el siga,
no seas tonta, yo te amo,
no vi a nadie
mientes
se ofende.

Él, el de la barba rojiza y la sonrisa tentadora se exhibe macho disponible y tú sumergida en leyendas arcaicas de lealtad a ultranza y protección masculina; ellas, susceptibles a su potente mirada llena de ternura, se lanzan con el impudor de las profesionales y no les aflige que el susodicho venga acompañado. No hay lealtad entre mujeres.

¡Vete!

Y en tu rostro se craquela el buen humor y la chispa que él ama.

No seas tan suspicaz, bromea con la autosuficiencia de quien se sabe celado. Deberías de saberlo. Ese tipo de mujer no me interesa. Huecas y lisas como salón de baile, axiomáticas inequívocas. Con un atisbo calculas profundidad y altura, instantáneas, ¿me explico?, comida chatarra, llenan el ojo pero no nutren. En cambio, tú, mi vida, te acaricia, eres secreta escritura, rumbo misterioso, laberinto.

Te sosiegas.

Sus palabras aquietan tus desazones y quedas consumida en la enredadera de rizos, en sus ojos de atardecer un tanto naranjas.

Amigable ha conquistado a tus hijos. Los llena de aventuras, retos intelectuales. Convence al menor de aplicar para una beca en Inglaterra, a la misma preparatoria donde él estudió brillante. El resultado, milagroso: la beca; Gales envuelto en helados vientos y aguaceros. Te regocijas. Le agradeces. El miedo y la desconfianza se desvanecen. Te acercas a él más confiada. Amas su nariz recta, su barba ambarina, conversan, beben café turco, exploras el interior de las tazas. Te pasmas, el café ha dejado la misma huella en ambas. En la de él un bailarín, en la de ella una danzante, surgen las dos figuras de un macizo oscuro y se lanzan como el loco o la loca del tarot, a punto de dar un salto al vacío. Ella interpreta: el amor es locura, abandono hacia la nada, se abrazan; pitonisa augura: pronto realizaremos un viaje y las manos ansiosas le sudan.

Tierno, enamorado: eres la mujer más mona que conozco, te halaga;
pide una rebanada de pastel,

se abisma solitario en su plato,
cada quien paga lo suyo,
te lleva a una reunión de familia
no me presentaste
pasaste la noche conversando con tus amigos
Estás celosa
No son celos, respondes incrédula
frente al espejo te empañas
imperceptible luna de día
pierdes tus rasgos
al otorgarle el mando
¡Auxilio!
le has entregado tu cordura
¡Auxilio!
el botiquín
tres chochos
No me agrada la mujer que soy a tu lado,
vete,
anúnciate vacante, demasiado soltero, disponible.

Un deseo de posesión se adueña de ellos. Tú del modo convencional: fidelidad, predilección, abdicación voluntaria. Él siembra desconcierto, engancha su atención hacia afuera y se adueña más y más de la tuya,
tres chochos
¡Auxilio!
son tus celos, acusa,
comprometido con la seducción, el amor le horroriza,
lo intentan.

Vas al encuentro imaginado, retocas tu ilusión, tu anhelo, porque el amor no es otra cosa que el descubrimiento de uno mismo,
lo intentas
asignas un sitio para sus cosas en tu casa, tu clóset, tu mente. Cosida al hábito de matrimonios y familia te encargas de su ropa, su comida. Él, sumido en su sí mismo: quiero hacer una maestría, reincide en su amor incondicional de su alma máter; irreflexivo, siniestro, descarado ve salir de un aula a tres chiquillas; falda corta, es sólo una maestría, te persuade,

no te enojes, dos años; ávido las mira, con ojos maduros ya les está tocando sus partes más íntimas, ya las invita a la correspondencia visual, las ruboriza. Dos años más, lamentas, tras su pupitre infantil, te disgustas. Afuera, el mundo inmisericorde y real para quienes lo habitan.

Desangelada descubres que tus ardores han devorado el atisbo de lozanía que te coronaba esa mañana,

tres chochos

lo mato

las mato

me mato

Quisieras arrojarlo al precipicio de los celos. Rotar tu mirada, tu atención, tu femenil encanto hacia otros esplendores hasta hacerlo aborrecer a su persona. No soy mujer que calienta braguetas.

¡Auxilio!

Tú te compruebas hombre en cada falda,

¿sabes qué?, ese juego ya no me divierte,

y te abominas en ese tono moralista.

Eso buscas, perfecto, desmantelemos lo poco conquistado.

Tres chochos

antídoto contra lágrimas

pero mi amor, así te llama genuino, casi devoto, nunca he conocido una mujer más completa, me fascinas,

mientes,

comprende, con tus exigencias interfieres demasiado.

Dos chochos

me suicido

Quiere felicidad de hogar y no está dispuesto a la renuncia,

así ejerce su posesión sobre ti, pretendiendo indiferencia.

Añora amar pero no soporta ser amado, hijo de madre solícita, demasiado complaciente se aterra con eso de que amor con amor se paga.

Vete

académico paraninfo

¡Auxilio!

Vincularse a alguien con deseo grande garantiza gran desdicha.

El deseo es debilidad dilatada en quien permanece deseando

Te desea, dice, pero avienta hacia fuera su mirada.

Vete

No estoy para distraerte el tedio, lo provocas y en cada herida más te hundes, más ansia de sentirte amada, más vergüenza de necesitarlo y más rabia. Los celos te han vuelto melindrosa, posesiva y él, que no tolera que lo amen.

¡Auxilio!

Quisieras abandonarlo, renunciar al proyecto de intentarse. Pero esa voluntad divina y ofuscada se ha empeñado en juntarlos y lanza nuevamente sus tentáculos. Una carta astral revela misteriosa distribución de planetas como los danzantes de sus tazas. En la carta de ella los astros se cargan sobre la mitad siniestra, en la de él colman la opuesta. Vistas a contra luz conforman un círculo de astros distribuidos en perfecta correspondencia.

Lo intentan

Madura el amor inexplicable como una estrella en la noche o como se endulza un fruto. Él la invita a hacer un viaje: visitar al hijo en Gales, luego al santuario en Cornwall. Buena idea. Espero no te moleste un breve encuentro con Sue, fueron muchos años, la quise, detalla inocente y se comporta intachable. Despreocúpate, respondes mujer liberal muy dueña de sí, para nada, pero en el fondo renace la sospecha. Lo que busca es reencontrarse con la que realmente ama.

Recurres al chochero.

La mato

lo mato

me mato

No te preocupes, la consuela el médico y le entrega compadecido botiquín, el más completo de homeopatía.

Lo intentan

Tú en la insistencia de retocarlo, de especularlo, hacerlo a la medida. Tú con el anhelo de que te devuelva, al fin, algo grato de ti misma.

¡Auxilio!

sometidos a esa fuerza involuntaria

esclavos

lidian por quererse

lo intentan

El colegio recomendado, un monumental castillo inglés del siglo xv. Cuánto bien le hizo al muchacho y que grata oportunidad visitarlo. Por la noche, junto a la chimenea de un enorme salón alumbrado con inmensos candiles, tertulian anécdotas adolescentes. Junto a mi hijo una compañera de su clase. Permaneces loba en estado de atención desmedido, te desconoces, me detesto; lanzará su mirada experta penetrará en el blanco perturbando a la muchacha

¡Auxilio!

lo mato

sólo falta que…

no sucede nada. Ninguno de tus presagios prospera. Cuatro días tranquilos en Gales. El botiquín latente aguarda el momento preciso.

Camino a Cornwall, el encuentro con Sue te acongoja

¡Auxilio!

¿Qué te pasa?, pregunta inocuo,

nada, estoy cansada, pero en realidad rememoras;

has ido a recoger incidentes que te den fuerza para el difícil trago que te aguarda. Vas por ellos, a llenarte de rabia, como quien sale al bosque a juntar hongos venenosos. Buscas recóndita los innumerables incidentes en los que te ha fallado. El despecho es arma poderosa, endurece, justifica cualquier acto. Rematas recordando cuando te presentó a sus padres, la mamá mucho gusto y a él qué blancos tus tenis. Para eso tengo novia y te señaló ufano, curtido en ese amor asfixiado. Madre e hijo unidos en un perverso pacto de sangre se ríen, ven en ese mundo de cloro y detergencia y de blanco brillantísimo no el cuidado y la atención tibia de una mujer que atiende sino la ociosidad inútil de la clase media

Felicidades. Has logrado que la memoria sature tu alma con adrenalina. Ahora puedes afrontar cualquier cosa. El auto avanza hacia el fatídico encuentro. Abres y cierras el botiquín, lo revisas, todo en orden

Ignatia

Arsénicum

Pulsatila

Atrás el hermoso paisaje que abandonan, el castillo, la lluvia. ¿Qué te pareció la escuela?, ¿cómo viste a tu hijo?, sus maestros, sus amigos, parlanchín te busca. Cierras los ojos. Aguardas con ansiedad disimulada el momento del funesto reencuentro. Renacerá el amor entre ellos no querrán separarse inspeccionas tu bolsa boletos pasaporte ni hablar que se quede con Sue yo me regreso. Te anticipas, él la provocará con ademanes fogosos por demás conocidos y ella responderá a la más estúpida galantería. Ingenua crees que todas aman a tu amado con el ahínco tuyo; que le veneran el verde de su barba y el atardecer de sus ojos, cegada por los celos olvidas que son tus empeños, tu afán de amarlo, de distinguirle entre los otros, lo que le asignan tales atributos, que eres tú desde ti quien lo ha inventado; se le lanzará a los brazos la tal Sue piensas desconsolada, con lo descaradas que son las inglesas me ofrecerá a su compañero para embelesar al mío. ¿Qué piensas?, interrumpe inmaculado tu manojo de insultos, nada, simulas pacífica. El mundo gira violento en el interior de tu mente, quisieras desistir, lo prefieres a enfrentar la pena del ¿qué crees?, Sue y yo hemos decidido hacer otro intento, huir y evitar el tormento de una muerte lenta y adolorida. ¿Para qué vine?, te reprochas a toro pasado. El automóvil avanza incurable. En cualquier momento anunciará el arribo. Inquieta y breve,

    tres chochos

    los ojos cerrados pretendiendo que duermes.

    ¡Hemos llegado! Suena estridente su voz como despertador en madrugada de lunes. Con desgano te incorporas. El lugar pintoresco. Discreta exploras el transporte del pueblo: taxis, tren, ¿cómo regresar a Londres si lo necesito? Tal vez él y Sue se apiaden y te lleven a la estación más cercana. ¡Mira!, dice él sin disimular su contento, allá va Sue con su perro. No respondes.

    el botiquín despierta

    tres cada seis horas

    obedeces homeopática

    Quieres morir desaparecer buscas el frasquito

    ¡Arsenicum auxíliame!

    ¿Matarme?

    Él detiene el auto. Se saludan. Te presenta en un inglés perfecto.

My wife. Te apaciguas, vaya, me presentó como esposa. ¿Pasan a la casa o los llevo al hotel para que se refresquen? Dices al hotel, entre dientes muy apretada. Él accede. Bed and breakfast, chiquito, íntimo. El cuarto amplio, tina enorme, te previenes, mejor no desempaco. Se bañan. Hacen el amor, sonríes lejana, ha de sentirse culpable, lo conoces, quizás se despide. Quedamos a las siete en casa de Sue. Ve tú, platiquen con calma, aceleras el adiós definitivo. Nos invitó a los dos, no seas berrinchuda. Tal vez después de la cena me quedo un rato, ¿te parece?, dice considerado.

Por mí no te agites, quédate la noche entera, recitas sarcástica. Cada intento de él por enmendar las cosas más las arruina.

Secas tus lágrimas, disimulas el miedo en rostro y manos

tres chochos

a prueba de celos te vistes

Sue abre la puerta. En su arreglo, nada especial para seducir al supuesto amado. Sonríes, te agrada el detalle. Sue no muestra interés especial por el apuesto. Pasan a la sala. La casa sencilla. Una copita, conversan. Lento, como crece la hierba, ellas tejen el tiempo, sus coincidencias. Mientras Sue platica despreocupada, lo vigilo, en décimas de segundo calibro para dilucidar cada pestañeo, en cada giro de su cuerpo; los celos delatan el ansia de posesión del celoso, dueña de sus ojos de sus señas de sus guiños lo espías desvías inquisitiva la mirada en espera del gesto irreversible, las palabras que confirmen tu sospecha descubrirlo de una vez por todas en el queremos estar solos el instante o el sarcasmo que te dejará iracunda o la incitación tan ostensible que te obligue a renunciarte. Nada de eso, en cambio nosotras una coincidencia tras otra. Él escucha satisfecho. La reunión se ensancha hasta las tres de la madrugada. Llegan a su habitación, se aman de nuevo. El peligro ha pasado.

Nueve a.m., en punto, arribamos al memorable santuario. En la entrada un encargado saluda amigable. El territorio enorme, mar y acantilado de fondo. Ahora es él quien calla. Entrañará a Sue, piensas todavía en el talante de cotejar tus conjeturas, seguro se quedó trabado por lo de anoche

tres chochos

debajo de la lengua

lo mato.

Caminan juntos. Él vuelve a platicar lo que tantas veces ha contado. Te muestra la casa, este era mi cuarto, pequeño, panorámico, cuántas veces habrá amado a Sue en esa cama, piensas extrañamente tranquila, el jardín, el mar desde una ventana ínfima, la sala de televisión de música muebles roídos empolvados el piano las guitarras y el chelo en un sitio favorecido lo imaginas en ese mundo tan a su estilo, tan natural mono en su rama.

Al fin los suspirados changos. Él, sentimental, nostálgico, atina en la genealogía de cada rostro. Con sólo verles los rasgos: éste es nieto de Charlie, ésta seguro es hija de Django. Así hasta que a lo lejos reconoce a su Lora. Conforme se acercan habla más y más bajito, murmura. Huérfana, y vuelve a relatar la historia recorrida docenas de veces. Tuve que cuidarla. Tres meses dormí con ella, señala un sitio a lo lejos, después fue mi hija. Habla sin desprender la vista del trayecto por donde se achica la distancia, la de él y Lora. Creció a mi cuidado, yo con ella. Nos conocimos hondo, nos adivinamos. Lora niña, yo a pelarle las uvas, a desarrollarle destrezas: abrir frascos, puertas. Luego, cuando fue madre, a mí la intimidad del parto el placer de los nietos. Cada vez más cerca. Avanzan hasta el punto en que él le ofrece su mano, un ademán basta, Lora confiada alarga la cola, se enlazan. Amigos recrean rutinas practicadas de mil formas, saltan el caminito de piedras, suben el tronco. Ella tambaleante lo reconoce, más en el tacto que en la pupila. Lora escarba diez años de distancia desde que se separaron, él aguarda. Desasida unos minutos, lo pone a prueba, camina hacia la banca de antes. Él, como siempre, se acomoda del lado opuesto. Se miran, acoplan los antiguos rasgos a los espejos de ahora. Él, cabello blanco; Lora, las tetas flácidas, ociosamente vacías. Se acercan pausados. A tientas, como se aproxima uno a un recuerdo amado. Se allegan hasta quedar juntas las frentes.

Se besan.

Permanecen besados.

Sollozas.

Ante tus ojos se abre, sin piedad, la escena de amor más insólita

los miras

¡Auxilio!

Domesticidad muda, hace como que vive   Marianela '04

Domesticidad muda

CARCAJADA

Después de una semana en la playa todo parecía renovado. Incluso los recientes desencuentros con Martín se habían mitigado. La causa, Nicol. Una nueva chica en el grupo musical de su marido con quien, en palabras de Martín, tiene una conexión magnífica. Su gracia, talento, su inteligente malicia y sobre todo un sentido del humor con el que ambos nos disolvemos a carcajadas. Abogada, al parecer exitosa, tal vez por su arrojo verbal, especula Olivia, pero desaprueba el fervor que Martín le profesa a la fulana. De buen ver. Mejor lejos que cerca. Piel cacariza, demasiado pálida, lechosa, casi transparente, piernas largas de grulla, desmadejada y tosca cuando manotea y toquetea a la gente, en especial a Martín, implicándolo en sus guasas, apresándolo con aquella sonrisa, muy blanca, con su mirada brillante y almendrada color miel, dulzona y cómplice. Ambos abandonados a su privado tráfico de pullas, muy de ellos. Su temple escandaloso y esa manera vulgar de soltar la carcajada, eso sí, siempre sagaz e intrépida en sus bromas filosas a costa de otros. Fría, estoica, casi hostil y cínica pero sobre todo carente de emoción o mejor dicho compasión; el corazón helado propio de los humoristas. Y esa tonta colita de caballo por demás infantil que daba entrada al juego aparentemente inofensivo intrigaba a Olivia; treinta y tantos años y aún en el candor de agraciar. Exageras, Olivia. Te garantizo que Nicol no actúa con malicia, es muy simpática, afirma Martín entusiasmado. ¡Simpatiquísima!

Después de unos días de descanso todo parecía nuevo, refrescante. La vida reencauzada, dispuesta en un lugar más sosegado. Olivia y Martín tuvieron tiempo para caminar en la playa, tenderse al sol, por las noches bailar en el barecito del pueblo, tomarse una copa, amarse; tiempo para conversar sin animosidades, hacer las paces, enderezar entuertos. Hablaron sobre el asunto Nicol: que qué tiene de malo reírse, que tú bien sabes a lo que me refiero, que nada más eso me falta, pedir permiso para hacer un chiste, que no te hagas el pendejo, esas carcajadas entre ustedes, qué mal gusto, hasta el novio de Nicol ya está molesto, no es cierto, son tus celos, por favor... etcétera.

Así, a veces decidido a apagar el fuego, otras a avivarlo, Martín ejercía el derecho a su libertad humorística y Olivia a toda costa evitaba caer en el aburrido rol de la esposa celosa. Eludía ese destino familiar, cargar con la cruz de su madre, su sacrificada madre: así son los hombres mijita.

Allí, recién llegados a su pequeño departamento de la Narvarte empinado sobre un fuliginoso eje vial, subieron su menudo equipaje por las escaleras ajadas y sombrías. Ya desde el pasillo un intenso olor a podrido le devolvió de golpe a Olivia el cansancio y la tensión con los que había partido hacía apenas unos días. Con maña giró la llave de un lado al otro dentro de la destartalada chapa, y el consabido jaloncito para abrir la puerta. Adentro, la sala acorralada en un espacio de tres por tres, empolvada por los efluvios del eje, las plantas a medio morir, vasos y copas sucias, ceniceros colmados de colillas. Ella lo mira exhausta, ¿es tan urgente que te vayas ahora mismo?, ¿qué hacemos con esta pestilencia? Él, sin voltear a verla, recoge con premura su guitarra, su suéter, su sombrero, tenemos ensayo, ¿ensayo de qué?, pregunta socarrona como si no supiera, ¿de qué te imaginas, Olivia? Mi amor, acuérdate que hoy llego tarde; no seas malita avísale a mi mamá que ya llegamos. No seas malita, reitera, déjame un sandwichito para la cena y sale corriendo.

Olivia se sienta sobre la cama. Revisa con cuidado el correo, vaya, al fin el cheque de mi traducción. Se recuesta por un minuto. Las sábanas trastornadas como ella. Tan agradable que es una cama limpia, piensa con nostalgia en sus días de hotel y playa. En el tambo de mimbre el montón de ropa sucia que quedó pendiente. El desorden de antes de salir de viaje se incorpora leal al caos del recién llegado y ese olor fétido que exhala el departamento por sus poros descorchados la fulmina. Piensa en su madre, dueña y señora de los influjos del refrigerador, de la lavadora y la plancha; comisionada oficial del departamento de objetos extraviados, calcetines, documentos, medicinas, esperanza, amor, apostura; especialista en remedios; experta en desmanchar manteles, ropa blanca; cocinera, nana, consejera, depositaria de un sinfín de confidencias. Su madre, símbolo del equilibrio familiar, guardiana a ultranza de la paz de su abundante progenie, emblema de la entrega y el sacrificio. Su madre, ejemplo de bondad y abnegación, rol temible del que Olivia huía despavorida declarándose orgullosamente incompetente.

Abre ventanas. De la calle el humo de motores, ruido de camiones, ambulancias, patrullas, la devuelven a la realidad de su vida diaria. Suspira hondo para consolarse. Comienza el recorrido lento y minucioso de la inspección olfativa. Tal vez algo echado a perder. Revisa el basurero y confirma que hay restos de comida de la fiesta de bienvenida al grupo que Martín le hizo a Nicol la noche antes de partir. Lava el bote a conciencia y le pone una bolsa nuevecita. El olor persiste. Limpia ceniceros, escombra, barre migajas. El cabello ondulado y brilloso de Olivia se engrifa. Su piel morena recién bronceada palidece bajo el poder purificador de los desinfectantes. Un poco de cloro y pino sofocará ese olor insoportable, escucha Olivia la voz omnipresente de su madre. Nada parece calmar el hedor que el departamento trasmina. Revisa la alacena. Vacía cada frasquito de comida que yace abandonado en el hielo eterno del refrigerador, husmea cajones, entrepaños, sin éxito, nada resuelve el enigma; la hedionda emanación la agota. El tufo no cede a la contundencia de estropajos. En el pasillo la maleta recién llegada espera. Martín ni desempacó ni la guardó en la bodega. Ahora sí, piensa Olivia rendida, en espera de un milagro aguarda a que se asiente, a que se esfume la pestilencia. Más tranquila y con el olfato adormecido por el cloro, arrastra la maleta a su habitación, saca la ropa sucia, separa lo blanco de lo colorido, separa lo delicado, se refresca la cara y se recuesta para recuperar el aliento, el descanso ganado a pulso y se recuerda a sí misma: hace apenas un par de horas eras feliz, recién llegaste de un merecido descanso.

Se relaja. Recorre sus caminatas por la playa. Nada en la naturaleza es desorden. Ni el montón de algas que escupe el mar ni las flores y hojas secas de bugambilias, palmeras, colorines, ¿quién inventó el tiradero?, se pregunta Olivia desfallecida: mi madre. Resuena la voz de Martín defensor de su derecho a bromear con quien le plazca y Olivia desea entender qué es lo que la intranquiliza. Es de mal gusto, se repite. Hay cierta intimidad en la carcajada entre un hombre y una mujer, una forma muy peculiar de cercanía, una abierta desinhibición que invita al desahogo, al deseo de llevar el placer a su cúspide. Hay un secreto entre los que se ríen juntos, una proximidad que deja fuera a los demás. Y es que la broma lleva por bandera el sano propósito del solaz esparcimiento pero esconde la astucia, la seducción que soborna y confunde. Sumergida entre las arrugas de las sábanas sucias afirma: hay situaciones inherentemente incompatibles: reírse en el acto amoroso o tener compasión al hacer un chiste. La burla y la emoción son enemigas, eso es, Nicol en su incansable necesidad de bromear, vive escindida de sus emociones. Olivia exhausta ante tanta cavilación se queda profundamente dormida.

Cuando despierta es de noche. La nube hedionda ha vuelto a recobrar fuerza. Agotada se incorpora. Nariz por delante se dirige con valor a la cocina. Frustrada por el fracaso, resuelta ahora sí a resolver la incógnita petulante, se pone a gatas para olfatear muy sabuesa cada rincón. Allí, debajo de la estufa la peste se hace insufrible. ¡Martín!, ¡Martin!, invoca en voz alta, ¡Te necesito! Se pone de pie, con un trapo de cocina se cubre nariz y boca y con toda su fuerza jala la estufa dejando una nueva cicatriz en el ya de por sí arañado piso de cerámica. Allí, pegada a la pared, en tonos grisáceos ya muy pardos yace una rata reventada. De su inflamado vientre escapa, en exilio, una interminable caravana de exasperados bichos en busca de nuevo patrocinio. ¿Hormigas?, no puede ser, ¿tan pequeñas?, se pregunta en un intento de indagación científica. Se inclina lentamente para discernir el origen entomológico de aquellas criaturas. Al ver la exuberante formación de centenas de ellas decide lanzar un leve soplido con el fin de alejarlas. Aterrorizada comprueba que lejos de ahuyentar ha enfurecido aquel batallón de insaciables. De pronto, como escapadas de un manicomio, como estampida delirante saltan frenéticas formando nubecillas negras que se adhieren como pequeñísimas pirañas a sus brazos y piernas desnudas. Se levanta estremecida, pide auxilio, grita hasta enronquecer, nadie la escucha. Ni siquiera el vecino tísico que invariablemente toca a quejarse por el ruido. Aterrada e invadida por miles de piquetes o mordidas, vestida se introduce bajo la regadera. Allí permanece largo rato. Teme salir y ser devorada por las minúsculas fauces de aquella legión de pulgas.

Bajo la tibia protección del agua Olivia recuerda cuánto disfruta sentarse bajo la enorme jacaranda del parquecito de enfrente. Desde niña solía observar las ramas tupidas de racimos lilas desprenderse al toque del viento, docenas de flores como lluvia sobre su rostro. Ahí, junto a la jacaranda del parque puede ver el edificio, su departamento en el tercer piso, el balcón que da al eje con sus macetas de geranios empolvados y la silueta de Martín sentado al piano o con la guitarra, componiendo alguna melodía dedicada a ella.

A las doce llega Martín. Silba feliz una melodía nueva. La luz del baño encendida lo guía. De muy buen humor, abre la puerta. Hermoso y alegre, todavía con el rezago de las risotadas y el glamour del ensayo. Relajado, con un ligero aliento alcohólico y con el descanso de las vacaciones fulguránDOLE en los ojos que bajo el efecto del bronceado se le ven aún más verdes. Asoma su rostro chapeado, la saluda. Todo es humedad, todo es tibio y es refugio bajo el agua. Martín entreabre la delgada cortina de plástico decorada con fauna marítima: sirenas, caballitos de mar azul cobalto. ¿Qué te pasa, loca?, ¿qué haces vestida en la regadera?, y sin esperar respuesta, así, tal como está, con su pantalón de mezclilla y su camiseta marrón, con zapatos y calcetines se mete bajo el chorro con Olivia. La abraza, le besa el cuello, te amo, al oído, se desvisten, lame sus senos, te amo, te amo. Mordisquea suavemente su cuerpo. Olivia bajo la magia honda del agua, sin agravios ni resabios ni reproches, siente el cuerpo desnudo de Martín junto a ella. Él le tararea una melodía que ella no conoce, te la dedico. Olivia recuerda quién es. Ésta soy yo. Allí, bajo el sabor delicado del agua, transparentes, sueltan la carcajada.

Yo soy, yo he sido, yo seré el mismo. Naceré en una jaula

Naceré en una jaula

ATRÁPAME UN CHONTLE

Tía Zoe enfermó del corazón y papá decretó que fuera a cuidarla una temporadita. Protesté cuanto pude. Que mandaran a cualquiera de mis hermanos. Asunción, por ejemplo, dos años mayor que yo, y mejor aspirante para el puesto por ser mujer. Te lo ruego papá, imploré, es el último año con mis amigos de primaria, ¿qué voy a hacer allá? La hermana de papá y su esposo no tenían hijos. Sólo un perico, un canario, un gato anciano que apenas se movía y por supuesto su chontle. Papá no atendió sugerencias, súplicas, quejas y mucho menos objeciones de un mocoso. Me ayudó a empacar y me llevó al rancho de mis tíos en su destartalada camioneta Ford, de un rojo tan chillante que todos en el pueblo nos reconocían. Cuando mi tía me vio, aunque convaleciente, mostró gran entusiasmo. Para darme la bienvenida esa mañana había matado una gallina, preparó caldo, frijoles de olla y echó tortillas. Yo era demasiado joven para ser conquistado con comida, por más rica que estuviera. Si en lugar de tacos y caldo me hubiera regalado un cachorro de gato o perro de esos que hay por docenas en las rancherías me habría consolado. Papá se despidió y no dio lugar a sentimentalismos de niña. Así se refería él al llanto. Su impecable camisa a cuadros, planchada a conciencia por mi madre (nunca entendí por qué en la perfección del cuello de las camisas masculinas se califican la virtud y dedicación de las esposas abnegadas), su pantalón de mezclilla oscura sobre esas botas vaqueras bien boleadas que esquivaban charcos y su sombrero de paja se alejaban de mí simultáneamente, lo que quiere decir que una cosa sucede al mismo tiempo que otra. Si tan solo se hubieran quedado conmigo sus botas o su camisa planchada tendría la certeza que papá volvería. Se dirigió hacia su camioneta sin volverse para una última despedida. Encendió el motor y tras la polvareda y la nube negra de gasolina quemada se desvaneció por aquel camino de terracería. Mi tía y yo nos quedamos uno frente a la otra. Sacudió el aire espeso y grasiento que dejó la carcacha y nos hacía borrosos y me ofreció unos taquitos de frijol y agua fresca de horchata. Me gusta el agua de horchata. Ella lo sabía. Sin embargo, en ese momento de separación forzada, ni tres litros de miel habrían endulzado la amargura que sentía. Pensé lo felices que estarían mis hermanos jugando fut o cazando pichones o liebres. La próxima vez que los viera les demostraría que ya soy grande para que me lleven de caza y no me vuelvan a mandar de niño de compañía. No lloré. Ganas no me faltaban. No llorar vigoriza. En aquel entonces desconocía el significado de vigoriza pero comprendí que quería decir no tolero ver llorar a un hombre.

Tía Zoe y yo solos en el rancho. Su amado chontle recién muerto y la Rata, así se llamaba la anciana misifusa, dormida como de costumbre. Toño, el perico, comiendo fruta, pelando semillas y molestando a la gente con groserías que don Hernando le había enseñado, y Chispa, el canario más cursi y aburrido del mundo. Don Hernando regresaría a las tres o cuatro de la tarde y tendríamos que acompañarlo a comer después de su larga jornada en el campo. Nos quedamos muy callados. Observé atento los dos retratos que colgaban en la cocina. Uno era el del difunto cuando todavía cantaba y volaba. Qué bueno que no se la tomó muerto porque habría salido bien tieso. El otro, de la Virgen María. En medio de ambos una veladora. Mi tía puso a su chontle junto a la Virgen para que se lo cuidara allá en el cielo donde ahora viven juntos. El chontle, en efecto, ve embelesado a la Virgen pero a leguas se nota que la Santa Madre sólo tiene ojos para su hijo.

Mi amado chontle, suspiró mi tía. ¿Sabes, Fede?, tener un cenzontle en jaula y que la acompañe a una tantos años es de muy buena suerte. Y recitaba con entonación: Zenzontl, ave de las cuatrocientas voces, animal sagrado, nuestros antepasados lo sabían y volvía a contarme la leyenda de la princesa convertida en un hermoso pájaro. Le tarareó sus madrugadas los últimos quince años y amaneció muerto en su jaula poco tiempo después de mi llegada al rancho. Ese día fue fatal, porque fatal quiere decir irremediable, desgraciado, rematadamente malo. Don Hernando salió a trabajar como de costumbre y mi tía y yo fuimos a recoger huevos al gallinero y al regresar el chontle se veía desmayado pero más bien se había muerto para siempre. Lo enterramos. Le rezó y lloró días y días. Yo tenía que consolarla porque ése era mi trabajo. El de don Hernando era irse a La Faena a toda prisa.

Atrápame un chontle, Fede, y se le escapó otra vez el llanto. Inmediatamente se cubrió la cara con su rebozo como si llorar fuera vergüenza o cosa mala. No para una mujer, pensé. Permanecí callado. La tía Zoe me abrazó. Eres como un hijo, Fede, siempre tan amoroso y ahora vienes a cuidarme. Yo tenía doce años cumplidos y lo único que deseaba en ese momento era salir corriendo, irme a mi casa con mis papás, hermanos, escuela, amigos. Me quedé paralizado, es decir, detener, entorpecer, impedir el movimiento de algo, en este caso mi huida. Ella me abrazó mucho. Escondió en mi hombro sus ojos mojados y entre sollozos alabó los prodigios de su chontle. Todas las mañanas, a las cinco en punto, su serenata. Se sabía más de cien tonadas. Durante el día imitaba al perico, al canario, el claxon de don Hernando, el maullido del gato. Hasta aprendió a cacarear como gallina. Mi tía lloraba sobre mi hombro y yo sólo pensaba en huir pero permanecía inmóvil como el retrato de la Virgen. La humedad de lágrimas y mocos mojó mi camisa y esa sensación pastosa, que no significa pasto sino espeso, no sé por qué pues suena más a pasto que a espeso me revivió las ganas de escapar pero me quedé inmovilizado como me sucedía en las mañanas con el escándalo musical del chontle cuando todavía estaba vivo y cantaba, y la voz gruesa de don Hernando me despertaban pero yo no podía moverme. Ni brazos ni piernas me respondían y el terror de quedarme así para siempre, la impotencia, que es el desastre de no poder hacer lo que uno quiere, me aterraba. Ese silencio sujetándome, el más callado de los silencios aunque por dentro había un escándalo, pensaba sin emitir sonido, ¡alguien, muévame, ayúdeme a salir de este encierro! Cuando al fin lograba avivar un dedo un ojo un pie, sin pensar le llamaba a mi mamá que viniera pero al corroborar que yo no estaba en mi casa me ponía inconsolable que significa estar muy solo. Nunca le conté a nadie lo que me pasaba.

Sí, quería huir pero temía que si mi tía no se aliviaba yo tendría que quedarme aquí para siempre. Inmovilizado me dejé abrazar. Sabía muy poco de cómo consolar a una mujer. Al parecer don Hernando tampoco. Cuando su esposa lloraba, él: ánimo, ánimo, y tras una palmadita en la espalda salía por piernas rumbo a la cantina. Desaparecía y mi tía: ven Fede, acompáñame un ratito y yo iba para que no la enfermara más la muina.

¡Kalimán!, así me apodó porque según él yo tenía los ojos color charco mohoso como el héroe de las historietas. ¡Kaliman!, ¿vienes conmigo? No puedo, tengo mucha tarea. ¿Cuándo vas a aprender a tocar guitarra, muchacho? Don Hernando visitaba la cantina más por necesidad que por gusto. Yo lo sabía porque salía corriendo del rancho con una urgencia parecida a la mía cuando iba de caza con mi hermano Juan y me dejaba cargar su rifle. Si aprendes, Kalimán, me decía don Hernando muy serio, me vas a ahorrar buen dinero. Me acompañas a La Faena, tocas lo que te pidan y me ahorro lo de los músicos. Yo te compro la guitarra si me prometes aprender pronto. Ése era mi problema, yo aprendía muy rápido y todos sacaban ventaja. Aprendía lo que fuera: ciencias naturales, matemáticas, lengua, historia. Hasta danzas regionales. Cuando venían los concursos interescolares a mí me ponían en las asignaturas más difíciles y casi siempre me llevaba los primeros lugares. Excepto una vez que el profesor Adrián, en sexto año, me obligó por las buenas a que me preparara para el concurso de matemáticas de primero de secundaria. Según él no había mejor candidato y si yo no entraba la escuela no participaría. En aquella ocasión fui el único de todos los concursantes del colegio que sacó segundo lugar. Y don Hernando me interrogó consternado: ¿en qué andas, muchacho, por qué no ganaste? Eres listo, te digo, en un par de semanas dominarías el chun tata que es lo único que saben tocar esa punta de haraganes que se dicen músicos.

Mi tío, así le tenía que decir por ser esposo de doña Zoe, que era tía mía, era cacarizo, más chaparro que mi padre, fornido, muy moreno, piel rasposa, de corazón correoso decía mi tía, que quiere decir que tenía el corazón duro como suela de zapato. Apenas leía o escribía. De siembra y cosecha, todo: cuántos costales por hectárea, cuánta agua, peones, semillas por barbecho; cuáles las estaciones, las fases de la luna. En trigo, sorgo y ajonjolí era un experto. Conmigo convivía poco. Fuera de su insistencia porque aprendiera a tocar la guitarra casi no platicábamos. Vivía en su mundo. Su siembra, su cantina, su futbol. No le amargó la muerte del chontle, dijo mi tía. Ni lágrimas ni lamentos. Así es la vida y punto.

Atrápame un chontle, atrápame un chontle, Fede, un machito para que me cante. Ahora que lo pienso, tal vez accedí a sus continuas peticiones sólo para llevarle la contra a su esposo, que irónico se refería al chontle como el hijo de doña Zoe y a mí no me pasaba eso de tener un primo pájaro. En el verano yo le tenía que ayudar en el campo. Me daba órdenes, me regañaba, y me pagaba un sueldo por el trabajo que hacía: subirme al tractor, abrir la compuerta de la caja de semillas, tomar el tiempo preciso para que cayera el número exacto por parcela y cerrarla. Con ese dinero ayudé para mis útiles y poco a poco fui comprando mi bicicleta en partes. Quise el manubrio primero, el asiento, el cubo, luego los pedales, el freno, la cadena, los postes; lo último fueron las llantas y las cámaras. Al final del verano la había completado. Don Hernando me ayudó a armarla. Sus peones le temían. Yo también, aunque nunca me hizo nada. Le cogí el modo y aprendí que cuando llegaba de trabajar cansado y de un humor que carbonizaba lo mejor que podía hacer, después de la merienda, era encerrarme en mi cuarto y pretender que estaba ocupado. En una ocasión, don Fermín, el dueño del estanquillo, me preguntó por qué nunca entraba a comprar dulces. Le respondí que no tenía dinero. Él me comentó, después de advertirme que no podía decir nada, que cuando llegué al rancho don Hernando fue con él y le indicó: Fede es mi sobrino. Lo que te pida dale. Yo pago. Así era el corazón del esposo de doña Zoe, generoso a escondidas.

Decidí que había llegado el momento de atraparle su chontle a mi tía. Pero por una razón u otra, el tiempo no me alcanzaba. Sí, buscaba un rato pero los cenzontles son expertos oculta nidos y esa nopalera en el camino llena de telarañas me distrajo y me puse a destruirlas y el hormiguero también me desvió y sus cientos de hormigas y su cargamento y sus túneles. Y cómo no me iba entretener taponar con lodo las entradas de aquellos canales secretos. Para cuando quise retomar la misión chontle se había hecho ya muy tarde y no quería preocupar a mi tía. Al día siguiente me fui por otro camino. Uno que tuviera menos desviaciones. El cielo estaba azulísimo y las nubes se veían gordas y blancas y no pude más que acostarme en el zacate húmedo y adivinar la infinidad de formas. A mí me gusta la de venado porque juego a que tengo un rifle. Cuando empezó el chipi chipi me acordé y me puse en marcha. Pasé por dos rancherías, la de don Eusebio y la de don Armando, dos corrales con gallinas como el de mi tía y me asomé para ver si podía robarme unos blanquillos, no pude, escalé y bajé varias veces una loma empapada y resbalosa, brinqué sobre charcos llenos de ranitas diminutas. Y es que las ranas antes de ser ranas son otros animalitos que se llaman rana-cuajos, quién sabe porqué, tal vez el cuajos quiere decir vivir bajo el agua y por lo mismo resulta difícil aplastarlos. Era época de lluvias y los rana-cuajos se convierten en verdaderas ranas y saltan enloquecidas por todos lados. Imposible esquivarlas. Al caminar uno va dejando la huella de docenas de ellas aplanadas en el camino. A mí me gustaba hacer tronar el piso al aplastar ranas o caracoles. Lo aprendí de mis hermanos. Matar me hacía sentir un gran dominio, que significa poder de usar y disponer sobre otros. Dueño del mundo, decía Juan cuando mataba un venado, y yo sentía lo mismo. Sabía que estaba haciendo lo peor. Que todas ellas eran criaturas del Señor y que había que respetarlas. No lo hacía adrede, no era por maldad sino por sentir que algo en mi universo estaba realmente en mis manos. Tampoco ese día me dio tiempo de encontrar chontles.

El tercer intento fue el vencido. No sé por qué la gente dice que la tercera es la vencida pero tienen razón. De pronto escuché el canto de unos polluelos. No podía distinguir de dónde provenía. Las ramas de los árboles estaban tupidas y no se veía nada. Me dirigí hacia uno de los nogales de donde creí escuchar el piar de los pajarillos y justo al acercarme se alejó el chillido y ahora venía del nogal de enfrente. Me acerqué al de enfrente y ahora lo escuchaba de uno que estaba más retirado. Así estuve, corriendo de un árbol a otro hasta que de pronto alcancé a ver el nido en un matorral bien espinoso. Me sorprendió descubrir que era el padre el que iba de un árbol al otro imitando el piar de sus críos para confundirme. Mientras tanto la madre cuidaba a sus hijos. Los polluelos comenzaron a chillar más fuerte cuando sintieron que me acercaba. Yo me puse a zarandear el arbusto hasta que me espiné las manos. De pronto uno de ellos, en un intento fallido de vuelo se cayó del nido. Con las manos arañadas me lancé a atraparlo. El pollito pedía auxilio desesperado. Los dos cenzontles papás se me lanzaron a picotazos. No me importó y lo atrapé de la cola. El pajarito brincó dejándome en la mano un puñado de plumas. Me quité la camiseta y se la eché encima. ¡Lo tengo! ¡Es mío! Lo levanté con cuidado para no aplastarlo, guardé las plumas en el bolso de mi pantalón y lleno de orgullo se lo llevé a mi tía.

¿Es macho?, preguntó ella antes de verlo siquiera. ¿Cómo voy a saberlo, tía? Ella tomó al pollo entre sus manos y con un gesto de rotunda desilusión me dijo: éste no es un chontle Federico, no tiene cola. Le enseñé el penacho de plumas que se me quedó en la mano y se puso feliz. Arropó al polluelo y lo llenó de mimos, mi chontle, querido, mi niño y se puso manos a la obra. Tía Zoe que siempre había sido amorosa conmigo, jamás me abrazó ni mimó como a su nuevo chontle. Limpió a conciencia la jaula del difunto que había permanecido intacta como un pequeño mausoleo en medio de la sala. La llevó a la cocina, lavó con jabón hasta el más recóndito de los rincones. La enjuagó y secó a conciencia, con pulcritud devota. Me mandó a cazarle insectos. No los mates Fede, les gustan vivos y le preparó una papilla. Cortó una rama de tenábaris, una frutilla que les fascina a los cenzontles; parece una sonaja hecha de gotitas de agua. Le fabricó un pequeño nido con una camiseta deshilachada de don Hernando que lavó y planchó amorosa para que el bebé no pasara frío y cuando el pollito abrió el pico y gritó, mi tía Zoe le dio de comer con una jeringa sin aguja. Lo puso en el patio y cubrió la jaula con una manta.

Al día siguiente muy temprano escuché mucho movimiento en el patio alrededor de la jaula. Cuál no sería mi sorpresa al descubrir que un cenzontle adulto asomaba su cabeza entre la manta y metía su pico por las rejas. Mi tía los observaba. ¿Qué pasa?, pregunté asombradísimo. Es la madre. Viene a darle de comer a su crío.

Una mañana tras otra, siempre a la misma hora, aparecía la devota madre para alimentar a su pollito. Llegaba toda brillosa y emplumada y a veces me veía con esos ojos reprobatorios por haberle robado a su hijo. Para mi tía Zoe no era novedad. Conocía la estirpe del cenzontle. Yo no podía creerlo. Puntual, vestida de gris, las alas con un marco negro y esa mirada atenta, profunda, inteligente. Cómo me hubiera gustado que mi mamá viniera al rancho a visitarme. Que trajera a mis hermanos y que me llevara de regreso a casa. Sentí rabia contra esa pájara metiche y le dije a mi tía: yo puedo atraparla si quiere. No te atrevas, me advirtió contundente. Un cenzontle adulto en cautiverio se suicida. Pero yo sí quería atreverme.

Al día siguiente mientras mi tía ponía la ropa al sol en el tendedero, hice una caja de alambre, la puse alrededor de la jaula del polluelo y me quedé quieto esperando. La madre llegó como de costumbre entró en la trampa y yo la encerré de inmediato. Tía, tía, corrí hasta el tendedero para avisarle. Se lo dije, ¡ya tiene usté dos chontles! Para cuando ella llegó, la hembra sangraba del cuello de tanto azotarse contra los barrotes. Su hermoso plumaje blanco teñido de rojo. Mi tía corrió a abrirle la puerta. La madre desangraba. ¿Por qué me hiciste esto Federico?

Mamá abnegada siempre proveé

TODO SACRIFICIO ES INÚTIL

Amanda salió corriendo tras el autobús de la escuela. Su madre despertó con el gritó de adiós acostumbrado el azotón de puerta y el intenso ladrido de la perra del vecino que conocía a la niña desde pequeña. Como todas las mañanas se puso la bata rosa de suave algodón que la hija le regaló hacía años en un feliz día de las madres. Bajó las escaleras, puso un poco de orden, se preparó su café orgánico bien cargado, tostó dos rebanadas de pan integral, les untó miel pura de abeja y se sentó a la mesa. Como todas las mañanas de 6:45 a 7:15 su desayuno en calma. Se disponía a leer el periódico. Un artículo sobre la crisis en Grecia y sus efectos en la economía mundial. De pronto, bajo la silla de Amanda, vio tirado un cuaderno con el logo de la escuela que juntas forraron a principios de año. En la nítida etiqueta escrita a máquina decía, *English Homework.*

Con cuánto orgullo le había mecanografiado esa etiqueta. Era la materialización de un antiguo sueño. Inscribir a su hija a ese prestigioso colegio bilingüe que, según ella, le abriría las puertas al futuro. No con poco sacrificio realizó la empresa. La colegiatura era altísima y la exigencia constante de materiales y contribuciones escolares la estrangulaban. No sabré rezar, se dijo muy satisfecha para sus adentros, pero sí picar piedra y conseguir lo que me propongo; a toda costa, la mejor educación para su niña. Y orgullosa pronunciaba sus tres reglas básicas para el buen desarrollo de un hijo. Lo repetía una y otra vez en aquellas horas de trabajos trasnochados que se agenciaba para ganar algo extra. Una buena preparación, principios morales, moderación ante todo. El dinero en manos de quien no sabe ganarlo es arma de triple filo, afirmaba en una especie de mantra pedagógico. Por eso supervisaba cada centavo que pasaba por manos de su hija. Levantó el cuaderno del suelo y, habituada a los esporádicos descuidos de la niña, se dispuso a revisarlo. Llena de orgullo leyó: *English Homework.* Preocupada de que Amandita hubiese olvidado alguna tarea importante por entregar ese día, pasaría a dejárselo de ser necesario. Lo que sea, con tal de que la niña no ponga en riesgo su promedio. Abrió el cuaderno y leyó en la primera hoja un enunciado, eso sí, en un inglés intachable, que le estalló en los ojos. Aquella oración atroz le arrancó tal espasmo que por nada le provoca un infarto.

Pero si mi hija sólo tiene quince años murmuró escandalizada. Recién los había cumplido ese verano. Amanda era una joven delgada, ágil, de piel castaña como su padre, pelo quebrado de un rojo encendido como el de ella. Hábil para la expresión artística y de sangre liviana también como su padre. Esto se combinaba de maravilla con el sentido práctico, realista y responsable de la madre. Podría decirse una distribución democrática de genes. Amanda se desempeñaba bien en la escuela, cumplía las reglas, claro, bajo el constante acicate materno, y con eso ganaba la confianza para poder salir con sus compañeros e ir a las fiestas típicas de la secundaria. Tenía buenas amigas que la madre conocía desde el kínder. Algunos pretendientes. Nada de qué preocuparse, afirmaba la madre mientras leía y releía aquella oración que la demolía. ¿Cómo pudo escribir esto? Jamás recibí quejas o advertencias de la escuela, se golpeaba la madre el pecho y se recriminaba algún descuido imperdonable. Siempre tan orgullosa de su hija. Sí, a últimas fechas algo rebelde, sí, respondona, sí, se encierra en su cuarto por horas a bailar y a escuchar música a un volumen de estruendo perjudicial, pero no para ella, que comprendía a los adolescentes y que con unos tapones lo resolvía, sino por los delicados oídos de la niña que podían lastimarse. Nada fuera de lo normal, se remachaba con angustia, nada raro en una chica de padres divorciados recién estrenada en la adolescencia.

La madre de Amanda tenía un trabajo estable. Era contadora *freelance*. Un ingreso digno y libertad para organizar sus horarios y poder dedicar su tiempo a la supervisión de la hija. Joven, cuarentaytantos, bien parecida, poco interés en rehacer su vida con otro hombre, al menos mientras Amandita viviera con ella.

Pero, ¿a quién le interesan las motivaciones de una madre ejemplar, típica mujer de clase media, complexión y estatura promedio, preocupada por darle a su hija una vida mejor? Divorciada tal vez de lo mejor de sí misma, un artista que al principio se sintió seguro al lado de ella, pero al cabo de los años le fastidió tanto compromiso impuesto, tantos propósitos y reglamentos. No, tampoco nos afligen sus horarios cargados para sacar sus obligaciones ni el peso de ayudarle al ex marido a concluir sus proyectos artísticos o a pagar sus deudas o malas administraciones. Tampoco vienen al caso las bohemias promesas de planes jamás cumplidos y el total desinterés de él por encontrar trabajos más estables ni el hecho de que su matrimonio con un artista la había agotado y aunque amaba y respetaba al padre de Amandita pensó que su relación con él duraría más si se separaban.

A partir del divorcio su prioridad fue sacar adelante a la niña, sus estudios, organizar el trabajo para compartir con la pequeña el mayor tiempo posible, ahorrar dinero y supervisar que todo marchara en orden. Pero en realidad, a nadie le interesa un personaje consagrado al servicio cuando sabemos de sobra que todo sacrificio es inútil.

Podría decirse que en aquel hogar reinaba una atmósfera de cordialidad y confianza. Claro, gracias al rigor y tenacidad de la madre, pero también a que la niña cumplía. Establecidos los límites, en especial el de no poner al alcance de la hija más dinero que el estrictamente requerido, no había motivos de desconfianza. Permisos o avisos de, mamá voy con Fulanita o va a venir Zutanita a la casa, pasaban con poca supervisión. El padre, que vivía absorto en su estudio pintando modelos, que viajaba aquí y allá al servicio de su arte, alto, fornido, de voz gruesa, manos rasposas y mirada profunda, muy pronto descubrió que opinar sobre las medidas disciplinarias impuestas a su hija le agregaba aún más responsabilidades a él, por lo que jamás objetó los criterios formativos de su exesposa. Marco rígido contenido flexible, era el lema de ella y se plegó a esos límites con tal de que en su estudio sólo él gobernara.

Nada le faltaba a la niña, pero sobre todo y más importante, no le sobraba nada, excepto cariño y atención materna. En la carencia hay porvenir. En la abundancia, hastío. Bajo tales doctrinas encausaba la madre a la niña.

Por eso al examinar aquella frase asesina, casi le da un infarto a la pobre madre que sostenía en sus manos aquel inocente cuaderno membretado y forrado cuidadosamente con plástico para evitar que se rasgara la codiciada etiqueta. Esta mañana común y corriente de café y pan tostado el acariciado cuaderno le quemaba los dedos, los ojos, pero sobre todo su reglamentario espíritu. Ella, que no sabía rezar, tan segura en sus convicciones, tan autosuficiente, se encontraba derrotada, horrorizada, indefensa. ¿En qué momento mi hija torció el camino? ¿Por qué tenía que sucederme a mí después de tanto sacrificio? Orgánicamente el café y la miel pura de abeja y el pan multigrano le quemaban el esófago esa mañana.

Camuflado aquel texto asesino tras el inocente forro. En caligrafía exquisita, daba inicio una narración al parecer autobiográfica que la madre leyó con profundo desánimo. Con los ojos nublados de fracaso leyó: Título: *Sex on the Beach*. El atroz encabezado arrancó de golpe el proyecto galante del futuro de su hija. Conforme avanzaba en el desdichado escrito, más y más se horrorizaba. Eso sí, en un inglés envidiable, perfecto en el uso de adjetivos y preposiciones. Página tras página describía la chica cuan ingenua era su madre, lo poco que la conocía, las miles de formas que tenía para engañarla, el abanico de cuentos chinos con los que la timaba. Aquello era un verdadero catálogo de engaños, pretextos, burlas y sarcasmos con los que la niña enredaba a su madre.

Cerró el cuaderno escolar con el anhelo de una vida entera desgarrado. Alzó con desgano la cocina, las miguitas de pan, la miel, el café tembloroso. Dobló el periódico, subió lenta y derrotada las escaleras, prendió la regadera, se dio un baño largo, el cuadernillo rojo quemándole las sienes, levantó la casa apática, sacó la pila de álbumes fotográficos, invitación al bautizo, notas y dibujos que la niña hizo, diplomas, certificados, boletas. Repasó la vida desde que Amanda había llegado al mundo. Tan deseada, tan cuidada niña. Vino a su memoria como si fuera ayer el departamento aquel tan lleno de amor y planes a futuro, luego el préstamo para adquirir la casa, el jardín, los cumpleaños de la nena. El primer día del kínder. Recordó y recorrió su historia hasta el momento preciso en el que forraron juntas el cuadernillo rojo. Con total desánimo sentada al pie de la escalera aguardó a que su hija llegara del colegio. Entristecida, con una vida entera latiéndole en la memoria y entre las manos la decepción, el fracaso. Esperó paciente y naufragada, con la vista fija en su pasado, a que la hija llegara de la escuela.

A las tres cuarenta y cinco como todos los días el autobús paró frente a la casa. Ladró la perra de la vecina. Rechinó la puerta de atrás, repicó la mochila arrojada con desdén sobre la mesa. El hurra de "es viernes" y el, ¡ya llegué! de siempre, anunciaban la triunfal entrada de Amanda a su acolchonado hogar. Al ver a su madre sentada en las escaleras, pálida y descompuesta, sintió que se helaba y tembló al vislumbrar lo que sostenía entre sus manos. El rostro de la madre enrojecido por el llanto y el de la hija enrojeciéndose por la vergüenza. El pulso tembloroso de ambas, las manos heladas y el cabello de ambas en llamas la mirada inyectada de la madre frente a los ojos culpables de su hija quien elaboraba a velocidad astronómica una nueva mentira. Lo siento mamá, en realidad nada de eso es cierto. Lo escribí el día aquel en que reñimos, ¿te acuerdas? Estoy muy desilusionada, hija, en realidad la cascada de ofensas irritadas las comprendo, a tu edad yo también… Pero.., y tragó saliva para no ahogarse, ¿me puedes explicar qué significa ese título? Amanda suspira con alivio. No puede creer que la madre inquiera sobre lo único que tiene una explicación razonable pero sobre todo verídica. Ella muerta de miedo por la sarta de ofensas con las que calificó a su madre, la burlona manera de expresarse, el vergonzoso testimonio de tretas y mentiras. Suspira de nuevo, el cabello ahora menos encendido y las manos tibias. Casi tierna se dispone a consolar a la afligida madre. *Sex on the Beach* no es lo sospechas, mamá. Es una bebida alcohólica. Nada de qué preocuparse. La madre descansa momentáneamente pero en seguida continúa su pesquisa. Reprime el desengaño hablando lento, muy bajito, casi en secreto: me puedes explicar ¿de dónde demonios has sacado tú el dinero para comprar una bebida alcohólica? Amanda muy dueña de sí y exenta de turbación, en tono confiado calma a la madre con una palmada en la espalda. ¡Ay mamá!, no se necesita dinero: con bailar bien pegadita a un gringo él te la invita.

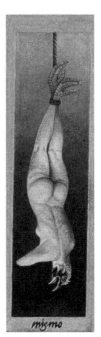

Comerás a tu prójimo como a ti mismo (tríptico)

DEMASIADO TARDE

Ninguna sangre comeréis,
ni de aves, ni de bestias.
Lev. 7:26

Docenas de mujeres aguardan perfumadas, recién bañaditas. Obedientes mujeres se forman previas al perdón. Agolpadas a Dios, su ley divina, en manos clericales, inocentes aves expiarán por ellas, por los de su casa. La sujeción es el undécimo mandamiento. Te alineas. Nadie responde al estridente piar de esos pollos, excepto tú que percibes el vaho de la respiración agitada que escapa de las cestas. El sacerdote, como afamada estrella de cine, aún no llega. Sólo su ayudante. Pero la línea de contritas ya alarga. Mujeres emparentadas por la sangre que derraman. Serás la última; ocho en punto. Llegaste a tiempo. "El que llega a tiempo llega tarde." Dice tu padre con esa contundencia de hombre exitoso. Las demás madrugaron. Miras tu canasta. Los dos polluelos pían incesantes, quieren salir de su encierro. Piar de pollos desinquieta. Tratas de serenarlos. Con delicadeza introduces la mano en el canasto, los acaricias. 8 a.m. has llegado en punto pero la inmensa línea te precede.

Los críos se aplacan momentáneamente. Persuadida acatas la tradición miles de años te mantienes pueblo dentro de la geografía del libro invicto Dios etéreo desterrado pueblo te mantienes dócilmente umbilical. El pollerío agudísimo se alerta, contagia a los tuyos, arrepentida los sacas para apaciguarlos, las mujeres amonestan, desaprueban el contacto físico con los inmolados. Los sostienes en tus manos. Por primera vez los adviertes. Sus pequeños avispados ojos se te clavan. Te estremeces. Arrepentida los guardas. Ahora exigirán con más fuerza, no pararán hasta que vuelvas a malcriarlos. Incurres en la caricia reprobada, metes la mano, un contundente aletazo azota contra ti su carácter bravo. Te armas de valor, una vez más indagas. Su mirada maciza te incrimina, verde mediterráneo, sus pequeñas patas azul acero raspan. Tan joven y ya impone su facha de gallito bronco. Suplicante y sudorosa lo mimas, te picotea. Con recelo lo guardas. Se calma. Sacas al otro. Gallito de ver, muy afinado, esbelto, bailarín, bien parecido. El tono dorado de sus alas contrasta con su pecho azabache, denota buena crianza, pollo de casta. Rascas su cresta naciente. Dócil lo permite. Se deja arrullar tranquilo, confiado se acurruca, dormita en tus manos. Insegura lo arrullas. Percibes su palpitante corazón de pollo. Te arrepientes.

La señora de adelante trae cinco. Tres gallinitas y dos polluelos. Uno por cada miembro de su familia completa. Pollos de mercado apilados en su canasta. Humillados gritan, inquietan a los otros, suman los chillidos de futuros condenados. La miras con ojos de ¡cállelos, señora!, no se inmuta. Superficial habla con su vecina: qué preparar para después del ayuno, con qué romperlo, pollito al horno, al pipián, en axiote, se te revuelve el estómago, nunca volverás a comer pollo. No, al pipián es muy pesado, responde la mujer, cuántos invitados, qué vas a ponerte. Pían sus pollos ella no escucha. No hay quien los calme, a nadie aflige su desahuciada súplica, pollos de purificar, claman. Al fin llega el oficiante, asciende como patriarca emergido del desierto mítico, propaga bendiciones. ¡Feliz año!, glorifica. Inscríbenos, Señor, en el libro de la vida, amén, las mujeres; los animales se desgañitan. Su rostro canónigo sometido al albedrío irrefutable de la nariz que le crece como la escalera de Jacob. Moreno, mira con ese dejo de nostalgia tan característico. Avanza inmenso, regala saludos, zalemas, las mujeres reciben sus parabienes. No cesa el piar agudo de los mártires. Afuera el gentío se apiña. El oficiante no titubea, con ademán de santo asoma su ineludible nariz, inspecciona canastas, aprueba la abundancia de pollos. Te felicitas. Tomaste el tiempo necesario para designar los tuyos. "Para ser exitoso no tienes que hacer cosas extraordinarias. Haz cosas ordinarias, extraordinariamente. Si vas a ser barrendero, sé el mejor", dice tu padre. Bien pensado, y en la plaza demandas, póngamelos en el suelo, a la marchante de brazos rollizos y delantal arrugado. Había tantos pero te tomaste el tiempo, con dedicación detallada elegiste los precisos. De inmediato el verde mediterráneo le buscó bronca al dorado que más bien parecía un duque por su forma alargada y por el garbo con el que se condujo. Primer indicio, acertaste. El apuesto se escondió entre tus piernas, correcto. Segundo acierto. El de pelea descubrió un montoncito de maíz y empezó a comerlo, no cabe duda, son ellos. El apuesto, con sus ojitos de ensueño se le acercó al bravo para robarle sus semillas y se hizo acreedor a otro picotazo. La semejanza con tus hijos es inaudita. Me los llevo.

El ungido se prepara. Su ayudante le coloca una bata intachable de algodón o lino bordada con hilos de oro, signos sacros. Una plataforma lo realza sumo sacerdote entre el bullicio de pollos y mujeres contritas, pronuncia el rezo: "Y Dios otorgó al gallo la cualidad extraordinaria de distinguir entre la luz y la noche…" hace alarde de lo sobrenatural en medio del chismorreo. Las mujeres devotas obedecen. Los animales gimen más fuerte. ¡Cállenlos!, suplicas afligida. Piar de ¡auxilio! te previene. Has logrado que los tuyos duerman unos minutos. ¿Soñarán los pollos con semillas y gusanos? El Duque y el Mediterráneo, acorazonados y redonditos, de pluma apretada muy brillante, cabeza alargada y cresta naciente, candorosos ensayarán entre sueños su estéril vuelo hacia la copa de los árboles, pasarán como todos, su niñez y juventud inútil de pollos rascando, haciendo hoyos en la tierra con sus patas y sus uñas firmes.

Avanza la primera mujer hacia el elegido. El bullicio se extiende. Tanto calor sofoca. Afuera la gente agita. Humildemente cada año denuncian: esos salvajes beben la sangre de los niños, quizás ahora degüellan a uno, eso dicen. Traman sus infundadas creencias, pero aguardan ansiosos para recoger lo que les será regalado. Así los pobres resienten, reciben con rencor. Malagradecen.

El sacerdote esparce su bendición, eructo proverbial, como maná escapa de sus labios, ellas retribuyen, las mujeres, no las gallinas que más bien vaticinan su desastre; se purifican transmiten contagiosas sus pecados a las miserables que pían dentro de sus canastos el perdón divino así las mujeres salvaguardan a su descendencia aguijoneando la balanza a su favor se inscriben en libros de vida. La primera de la fila pronuncia un nombre, el de la persona por quien pide, tal vez su hija, su madre, su hermana: Alegra Mercado Pardo, enuncia con claridad prodigiosa. Somete su gallina. Alegra Mercado Pardo el oficiante calca, pronuncia sin error alguno. El alma de la aludida contenida en su nombre. Alegra Mercado Pardo. Repite y toma al ave que blanca presiente su destino. Tres veces sentenciada a muerte recorre el círculo próxima a la cabeza de quien pide, sólo así se llevará a cabo el traspaso. El ritual dará inicio. Abres los ojos. El matarife procura la muerte en este rito pagano, tres veces *zap* la navaja en el lugar preciso, *zap* expulsará la vida a borbotones, pollos vivos, carne con su vida que es la sangre mancha el ceremonial traje de lino. Obedecer a tu padre, cierras los ojos, *zap* se estremece el espacio, infectados chillidos alertan a los tuyos, tiemblas, el oficiante y su segundo, solemnes, con frialdad abrumadora rasgan el inocente pescuezo que, tras el consagrado ritual, gozará del privilegio de morir al servicio Divino; elevará su existencia inútil de granja al plano de lo santo su existencia abandonada al cuerpo de un tambo sus inútiles estertores. Remordida los acaricias pero sin aproximarte a su latido. Tu nana dice que no hay que tenerles lástima. Pollos de granja, de mercado, de feria, de kermés, en incubadoras, corrales. Todos llevamos a cuestas el asesinato de un pollo. Pollos aplastados por niños crueles, devorados por perros y gatos, rostizados o cocinados en caldos. Emma lo compró en el mercado recién nacido. Lo cuidó, jugó con él, le puso nombre, Pío. Un día de escuela llegó a su casa, obediente se lavó las manos, se sentó a la mesa. Cuando acabaron, la madre orgullosa: ¿Adivina qué comimos? Si les tienes lástima no se mueren, saltan vivos, dice mi nana, uno sobrevivió varias semanas sin cabeza. Lo alimentaban con gotero por el cuello mochado. Salta del agua hirviendo el chingado pollo, dice mi nana, por tenerle lástima. El Mediterráneo te lanza otro picotazo. Lo recibes sin tacha. Te lo mereces. Quién va expiar el pecado de matarlos. Pobres madres. Cuánta gallina estará hoy lamentando su pérdida. Este holocausto de pollos con el que purgarás el pecado de los tuyos, mi gallito verde chilla. Le ofreces un poco de maíz para distraerlo, extrañará las alas tibias de su madre.

Afuera el escándalo aglutina. Hostiles y gentiles, cada año describen con detalle lo que desconocen. Quédate, se aconsejan morbosos, algo te llevas. Pollos espetados, debatidas aves que no fueron bendecidas con el vuelo, sí con la distinción entre el día y la noche, así se refrenda el principio bíblico: afligir tu alma. Ver la muerte trae la conciencia brutal de la vida, como los gallos. Dotada con el entendimiento de ellos distingues entre el bien y el mal, te arrepientes.

¡Escapen! ¡Váyanse de aquí pollos cebados! Tanta gente aglomerada en la calle impide al viento entrar en el patio. Adentro, el olor te desmaya. Te ahoga el sangrado rito. La de enfrente platica incansable; extrae de su bolsa un abanico español pintado a mano; lo bate, mujer habituada al sacrificio.

Comparte su aire. Te mitiga. Su perfume intenso empasta el olor sangrado que flota en el recinto. Marea. Tratas de evadirte. Susana Maya Pérez, *zap*, pasa alrededor de su cabeza la blanca gallina. La mujer repite: esta ave entra al otro mundo en mi lugar, en lugar de mi hija Susana, a cambio mío, de ella, esta ave nos expía. "Cierra los ojos, déjate guiar", dice tu padre. Los cierras. *Zap*, jadeante expira. Con tal pericia sujeta al degollado, pena de muerte nos obliga a separar entre el día y la noche, bien y mal apartados fatalmente. El abanico se bate *zap*, armonioso. El ungido enuncia punzante el nombre que purga, *zap*, desnuca experto el matarife al ave. Agradeces la claridad de aire que ventila tu vecina. Susana Maya Pérez ha trasmutado sus pecados. Ahora abanica más contundente. *Zap*, un trazo puntiagudo surca la vida de la que sacrifican. Aprietas la consigna de tu padre. Quieres huir de esta región que purga. Te distraes con el paisaje del airado abanico. Refrescante escena bucólica, el campo mitiga, *zap*, involuntaria escuchas el sonido jugoso, miras lejana la cascada, *zap*, el olor ineludible, *zap*, la navaja desliza por el cuello de la indefensa, te distrae el rebaño que bebe apacible del abanico, *zap*, atraviesan el cuello sin obstáculo como rebanada de melón maduro, insistes en huir al detallado paisaje de artista; cuando la mujer abanica distingues en la orilla que despliega una gallina seguida por sus polluelos en un amarillo vivísimo. *Zap*, *zap*, *zap* te regresa al martirio, abres los ojos, el sacerdote a su rezo, el ayudante a su filo y la sangre profana el traje ceremonial. No lloren, consuelas a los tuyos pero ya no te atreves a tocarlos. Tus manos húmedas te delatan. La hilera avanza. Crece silencioso el purgatorio de pollos, las moscas se aglutinan; marginales moscas, ¿dónde se esconden, legión de glotonas?, ¿dónde?, dispuestas a engullir cualquier resto de comida. Conforme progresa la muerte el chillar encoge. Cada vez quedas más próxima al temible espectáculo.

Nombre tras nombre el oficiante intacto. Alberto Arditi, Mauricio Herrera, Hada Lauriano, Victoria Benveniste. De plumaje tierno purgan con su muerte nuestros yerros. Reza el ungido: *El perdón sólo se obtiene del arrepentimiento*. Te arrepientes de obedecer, de cerrar los ojos invocas el milagro de una presencia divina que salve a estos convictos. No, mejor alguien de la sociedad protectora de animales que interrumpa esta masacre; preferibles los resplandecientes pollos de carnicería que encubren con celofán al asesino. Entre tantas mujeres no encuentras una sola que defienda a los inmolados. Obedeces, al menos una vez, el olor cuaja, arquea tanto perfume. Ocho veces sumerge sus dedos, demasiado tarde, ha quemado el incienso la sangre salpica como doña Jacinta blanquísima su ropa cuando plancha. Canta el sacerdote, las mujeres parlotean: su cena su salón de belleza su menú su atuendo de fiesta. Los pollos mueren profusos precipitados Jacinta reza su Magnífica afuera humildes y codiciosos aguardan; al final de la ceremonia recibirán su holocausto de pollos prontos para la desplumada reventa.

Desdichada por tus convicciones quieres huir pero quedas atajada en el cultivo de las tradiciones paternas; con las manos culpables los escondes en las bolsas de tu saco. Abundantes de tanto mal transmitido; salvar a los tuyos, llegaste tarde, los has nombrado, el nombre otorga rostro.

En un cáliz de plata, el coagulado oficiante recoge con puntería científica, como quien junta agua de una fuente el vital líquido salta del cuello expiado café con leche espumosa en La Parroquia coplas veracruzanas como rezo al son de la guitarra el malecón mosquea repiquetean las cucharas en los vasos jarochos qué tino esas meseras vierten la sangre desde lo alto. El cáliz se llena de espuma. Pollo tras gallina tras pollo quedan apilados en una columna zumbante, mujeres habituadas a la sangre abanican la muerte. Afuera gentil escándalo de plaza o de feria aguarda el agasajo. La de adelante esparce su perfume finísimo, impregna tu ropa, hiede. Rebelde repites la caricia, los llamas por el rostro que les diste. ¿Quién morirá por éstos ahora que ya tienen nombre? El ungido pronuncia, Violeta Piastro *purificados de todos vuestros pecados* degüella, colecta de la fuente al cáliz, agita la sangre para que no cristalice. Ocho veces tarde hunde sus dedos de rojo, ocho veces agita sobre la cabeza del que purga. Toma el brasero quema incienso esparce Jacinta canta coplas en jarocho *rocié sobre vosotros agua pura* la ropa en su altar, Abraham en la piedra de sacrificio, no es lo mismo, éstas no son aves de ofrenda, como el pichón o la paloma; pollos miserables, sólo expían. Falta el aire te sofocas dos pescuezos a su navaja rociará el chillido en el recinto zumban sobre el banquete no expiran por tu lástima dice tu nana evitarán que les duela en el cuello la vida escapa piando la mirada amarilla a medio morir la obediencia limpísima al tambo los estertores de tus faltas inscritas en el libro de la vida al menos una vez la rotunda conciencia de presenciar la muerte el sacerdote la ley tu padre lo manda una vez al año previo al ayuno al día del perdón el arrepentimiento.

Llega tu turno ocho veces tarde el lugar ya no pía sólo el calor aúlla y el desaforado zumbido y ese olor difunto cuántas veces inconsciente, pollos de carnicería, supermercados, destazadas criaturas: piernitas y pechugas, pescuezos y patitas plegables para el caldo limpios desplumados, desangrados en el refrigerador fingen para calmar tu conciencia, haber nacido en estériles paquetes de plástico, los tuyos duermen escrupulosos en los bolsos de tu saco sueñan con el buche lleno de semilla, caldea el recinto, "la tradición", dice tu padre, "guarda al pueblo" consagrado oficiante, el matarife se inclina hacia ti aguarda paciente la renuncia de los tuyos sus nombres, Arturo Romano Oro, quieres alejarte pero inevitablemente te aproximas, Ernesto Romano Oro, te arrepientes, no quieres un asesinato a nombre de tus hijos, llegaste a tiempo demasiado tarde, el ayudante procurará la muerte sin artificios de la manera más eficiente con el menor sufrimiento resbalará la sangre por el traje ritual del que oficia nítido el mostrador de supermercado exhibe un paisaje festivo para el convite lo salpica pero una vez, tan solo una has de presenciar en vivo la muerte no hay un ápice de crueldad en la ejecución de esta atávica ceremonia afuera banalizados pollos atrincherados, infierno en llamas con chiles en vinagre y papas de bolsita, bien dorados, Pollos Río, Los Guajolotes, llena de terror y piedad abres tu canasta, ¡escapen!, los entregas, malditas aves no vuelan te desgarras ves al oficiante aturdida y rabiosa la mirada con la que Eva vio a Dios recién probado el fruto tiemblas los ojos no cesan de llorarte las manos en los bolsos de tu saco el Mediterráneo picotea el Duque duerme candoroso arrepentida te aproximas al menos una vez el verdadero sacrificio, presenciar el absoluto de la muerte el ungido reza, habla una lengua lejana inalcanzable los entregas el matarife revisa preciso a cada uno casi amoroso vigila que no vengan heridos enfermos mutilados sabes que escogiste a los mejores los sujeta con tal suavidad con tal aplomo los subyuga abandonado el grito el aletazo obedientes nos sometemos al menos una vez miles de años puntualmente.

Todas las hembras del planeta

COITUS CUM INMUNDIS

Después de su paseo habitual por el parque la mujer regresó a casa. Se sentía agotada. A pesar del exceso de pendientes decidió recostarse un rato. Al despertar una extraña parálisis en el costado izquierdo la aterró. Nada falta en mi universo nada falta en mi universo Dios mío asísteme nada falta en mi universo una y otra vez con tal de no permitir que ese ahogo ese desamparo de vivir de lidiar con las recónditas contingencias de su aciago cuerpo susceptible a cataclismos se apoderase de la situación hasta perder la cordura. Confirmó frente al espejo la deformación de su rostro. Muerta de miedo trató de hacer memoria. Tempranito plantó los rosales, organizó sus citas, caminó al jardín botánico, se sentó a comer un sándwich, admiró el exuberante florear de las orquídeas. Qué hacer, qué hacer, ¿una ambulancia? Todo está bien todo está bien remachaba al tiempo que veía con horror cómo la mitad de su cara se desfiguraba y su brazo y pierna se iban inmovilizando más y más. Llamó a Alberto. Cuando el marido llegó a casa se encontraba más tranquila. Había recuperado la movilidad y sólo le quedaba una lejana sensación de acartonamiento en la boca. En la pierna picazón, ardor y hormigueo. Pasado el sobresalto Alberto preparó una cena ligera que no irritara el delicado estómago de su esposa. La acarició con ternura, son los nervios por la boda de Jaimito. Tras un largo suspiro ella asintió. Calificar exámenes finales y preparar la boda de un hijo no son poca cosa. Alberto encendió la tele. Vieron las noticias de las ocho y luego el programa de concurso que ambos disfrutaban.

Una semana después del paralizante incidente, la mujer descubrió una bolita del tamaño de una aceituna en su muslo izquierdo: nada falta en mi universo todo está bien antes de alarmar a la familia una cita con el médico. Qué se pierde. Así salgo de dudas. No se pierde nada, no se pierde nada.

El doctor Barroso, prestigiado dermatólogo, atendió con éxito la psoriasis de Alberto. Lo conocía desde hacía veinte años. Ella no lo había tratado personalmente pero ante el necesito ver al doctor, señorita, soy la esposa de, sí, sí, es urgente, consiguió cita esa misma tarde.

¿A patología, doctor? ¿Qué sospecha?, inquirió ante la temible respuesta de la fatal letra C. No anticipemos vísperas, señora Sáenz. Tengo algunas hipótesis, pero el diagnóstico sólo hasta recibir los resultados de laboratorio. La veo en cinco días.

Pasó la semana calificando exámenes y haciendo listas de invitados. No hubo tiempo para atormentarse ni profetizar malos augurios. La boda de su único hijo estaba en puerta.

Pero sí, en las mañanas antes del baño, y sí, antes de acostarse, con temor resbala la mano por la pequeña bolita, y sí, ni crecía ni aminoraba.

Llegó la cita como llegan las sentencias: llenas de ansiedad, pero con alivio. Mientras aguardaba hizo llamadas telefónicas, tomó algunas notas y observó detenidamente los títulos, diplomas, reconocimientos que fulguraban con soberbia caligrafía de las orgullosas paredes del consultorio. Llamó su atención la lista de servicios adicionales que el doctor ofrecía: láser, resurfacing, liposucción, peelings, botox, implantes de colágeno, trasplantes de pelo. La estética femenina siempre ha sido buen negocio para los médicos, trató de persuadirse, entre escéptica y deseosa de tomar el folletito que ofrecía la juventud eterna. Tan completa gama de destrezas reforzaba la confianza y admiración que por años la familia Sáenz había profesado por tan reconocido especialista. Definitivamente estoy en las mejores manos.

¡¿Sífilis?! La mente de la mujer se precipitó al abismo de su cuerpo fallido. No podía creer lo que escuchaba. Cortesana del siglo xv fornicadora, libertina, eso sí, muy culta, contagiada por la llamada epidemia del placer: *coitus cum inmundis*. Tema revisitado a lo largo de una vida de docencia: *Syphilus sive morbos gallicus*. Salta a la memoria la evocadora lección en esos momentos aciagos de incertidumbre diagnóstica. *Syphilus*... así da inicio su curso... pastor rebelde que ofendió a Apolo y fue castigado con el terrible mal... lo evoca para no enfrentar el dictamen que el doctor derrama sobre ella casi complacido... ¿Fue Colón quien trajo la enfermedad a América o fueron los indios americanos los que contagiaron a los españoles? Esta interrogante surgió en sus clases docenas de veces, cita de memoria: Bartolomé de las Casas: *Hice diligencia en preguntar a los Indios desta Isla si era en ella muy antiguo este mal y respondian que sí, antes que los*

cristianos a ella viniesen... A los indios cuasi no más que si tuvieran viruelas;
pero a los españoles les eran los dolores dellas grande y continuo tormento.

Recordó el inventario de síntomas: úlceras, supuraciones, dolor intensísimo. ¿Señora Sáenz?, inquirió con el tono acusatorio e impaciente de la autoridad médica. Le suplico que me escuche, ¿hay algo más que deba yo saber? Mmmm, sí, doctor, la semana pasada, después de dos horas trabajando en el jardín y justo al regresar de mi caminata en el parque me sentí extenuada y... Un irritado perdóneme señora precedió al sobra señalarle que la sífilis es una enfermedad venérea. Y la palabra venérea la devolvió a su salón de clases, venéreo, de Venus, diosa de la belleza, el amor, la fecundidad.

El doctor Barroso, con la potestad del mismísimo Fracastoro en su poema en tres volúmenes, *Sífilis o la enfermedad francesa,* 1530 enunció la endémica palabra como si él mismo la hubiese acuñado. En cualquier minuto anunciaría, sábelo todo, la consabida demencia, parálisis y muerte prematura del horrible contagio y la advertencia *sine qua non*: evite, señora, la excitación sexual o cualquier cosa que inflame su imaginación y fantasía. Dígame, ¿ha tenido relaciones sexuales con otro hombre que no sea su esposo? Tan punzante interrogación la empujó a un nuevo extravío, sí, sí, las recomendaciones de la época: "resulta útil mantenerse alejado de mujeres que dejan caer líquidos de la vulva, evitar que en el coito ella esté encima..." Avicena, sin titubeos. ¿Cuál era el tratamiento que se daba en la Europa del siglo xv, ¿el martirio del mercurio?, claro, por los horribles dolores que causaba, pérdida de la dentadura, cabello, pestañas, y en su memoria intacto el antiguo dicho: "Una noche con Venus, toda una vida con Mercurio" Inhalaciones, ungüentos, bismuto, arsénico; ¿cuál el nombre de esa raíz que trajeron los españoles de América...? gua, gua, ah, sí, guayacán, palo santo, árbol que da salud. En avalancha su angustiada memoria arroja datos y más datos. Tal es su apremio, su técnica escapatoria para desertar el temible veredicto.

Señora, Sáenz, le suplico colabore. Por favor, doctor, tengo sesenta y cinco años. Perdóneme, gruñó el experto, la edad no es garantía; este asunto es de vida o muerte y usted, no es momento de encubrir la verdad con evasivas. ¿Encubrir? Agraviada por tener que dar testimonio de su vida íntima y enfurecida: con nadie, doctor. No me he acostado con nadie.

Quiero decir con nadie además de mi marido y aún con él, poco, muy poco. Como le dije, tengo sesenta y cinco años y cuarenta de casada. Si usted no se acostó con nadie además de su esposo, él la ha contagiado. Imposible doctor, usted conoce a Alberto. En efecto, su historial es intachable, me refiero al de su esposo; y entre líneas, ella: "Hombre noble sin sífilis o no es demasiado noble o no es demasiado hombre", Erasmo de Rotterdam (1466-1536). Seguro es lo que opina este doctor fiel defensor de los derechos masculinos, piensa ella, los hombres... Imposible, doctor, imposible, mi esposo es incapaz de, yo no metería las manos al fuego por NADIE y enfatizó el nadie dudando no de mi marido, por supuesto, sino de mí. A decir verdad, yo también prefería dudar de mí. Era más fácil. Siempre resulta más fácil inculpar a una mujer, la Iglesia impone el celibato en el estado Pontificio. Se aísla y castiga corporalmente a las mujeres contagiadas antes y después de los tratamientos recibidos, siglo XVI, se decreta la expulsión y quema de las prostitutas. Desnúdese POR COMPLETO. Y su voz tan gruesa, tan varonil, azotó el POR COMPLETO en mi cara. Se colocó en la frente una lupa con lamparita y arrimó hacia el camastro de los acusados una mesilla llena de instrumentos punzocortantes. Es inminente verificar que no exista otro brote como el de la pierna. Desnúdese, arrojó el decreto, ni batita desechable ni sábana para ocultarme y esa luz escalofriante de neón que ¡ay!, los consultorios revelan mis más íntimos deterioros. La mirada indagadora de un extraño puede dejar ver las verdades más hirientes en el cuerpo femenino.

Me desvestí lentamente. Tiritaba. De vergüenza. De frío. Acomodé mi ropa interior, inoportunamente negra, de encajes, sobre la banca del vestidor y la escondí bajo mi vestido rallado de lino. La argolla de matrimonio, la medallita, los aretes de plata, mi diadema. Que no quedara vestigio de su femineidad transgresora. Salí con mis sesenta y cinco años al aire. Sin prenda alguna que distrajera la mirada de aquel extraño denunciante; sesenta y cinco años despojados de ropa y de juventud, expuestos ante aquel hombre que dudaba de la veracidad de mi historia y sobre todo de mi honorabilidad. Como prisionera, como animal azuzado me dirigí hacia la camilla donde se llevaría a cabo el veredicto. El aire acondicionado me hacía castañetear los dientes y el tono violáceo en labios y manos denunciaba una capilaridad por demás adelgazada. Esa mujer profesionista, catedrática de historia durante intachables décadas, esposa de reconocido abogado; esa mujer, la que era yo antes de entrar al consultorio, ahora caminaba desnuda como prisionera. No era nada. Nadie. Nada en ese desinfectado cubículo. Lo único que sabía con certeza en aquel momento ingrato era lo que había dejado de ser para siempre. Allá, el doctor tapado con inmaculada bata, gasas estériles, guantes de látex con los que evitaría el contacto a toda costa y yo irremediablemente expuesta desnuda para siempre ante su mirada. Cómo codiciaba, en aquellos momentos clínicos de examen, esa bata aséptica que lo encubría. Arribé al camastro tan pronto pude. Me recosté ocultando las otroras partes nobles todavía con el pudor de la mujer que había sido. Aquel hombre aproximado alumbraba mi intimidad como perito tras la escena del crimen. Separados por aquella lupa alcancé a identificar el aroma agudo y picante de una fragancia masculina el vaho de su respiración su aliento cafeinado. Ahí, a escasos centímetros su nombre en caligrafía gótica, *Dr. Ernesto Barroso Hinojosa* en un azul cobalto sobre la bolsita derecha de la bata, bordado a mano, con el amor de una esposa leal, de una enfermera o secretaria. Los venerables médicos saben rodearse de mujeres talentosas que les borden sus nombres góticos, que los veneran hasta jubilarse. Por un instante se cruzaron nuestras miradas. Ahí, a una lupa de distancia, su cabello gris, lacio, peinado hacia atrás, fijo con alguna goma suave, sus cejas pobladas su barba entrecana. Sus ojos ámbar claro, impasibles ojos, fríos, ágiles ojos exploraban la piel de una vaca rancia o una yegua moribunda. No entretuvo su mirada ni un instante al tropezar con mis ojos. Yo no era una mujer desnuda frente a un hombre, era un fardo de carne flácida. BOCA ABAJO, ordenó inmisericorde, sin clemencia por el acto de crueldad que ejecutaba. Atrasé la acción cuanto pude. Qué importaba la sífilis en ese momento de ostentación impúdica. Me atormentaba mostrar así mis nalgas abolladas por la celulitis, bofas. Era tal mi pena que me refugié en el recuerdo de aquel ginecólogo años atrás. Aquel que al auscultar me llenó de halagos e intentó un beso en la boca. No grité ni pedí auxilio ni me indigné ni se lo comenté a Alberto. Pero jamás volví con él a consulta. Sólo archivé el incidente en la memoria por más de treinta años, con una nota: úsese en caso de emergencia. Aquel sobresalto de atracción desplegada estaba tan lejos que pertenecía a otra vida. No descansó en mí su mirada. La del doctor Barroso. Escudado tras la soberanía de su intachable bata se aproximó a su objeto de indagación. Yo. La acusada. Sondeó en el cuero cabelludo, descendió sospechoso por cuello espalda costados, su respiración agitada empañaba mi piel, la erizaba. Indagó en nalgas, las manipuló sin consideración, sin lástima, de manera mecánica arribó a muslos mis piernas varicosas pantorrillas, se detuvo en las plantas resecas de los pies y en los encallados dedos que anunciaban ya una incipiente artritis. Un instante de alivio. BOCA ARRIBA. Decreta, oficial al soldado raso. ¿Bocccaarribadocccctor? Vamos señora Sáenz, no es usted una niña."In vulva in mulieribus et in virga in hominibus." ¡Dios mío! ¡Hasta qué punto recóndito llevará este hombre su pesquisa! No pude refrenar el llanto. El llanto. Una vez que se echa a andar el llanto la producción acuífera entra en una especie de ciclo incontenible y el incesante gotear de ojos y nariz no para. Cada lágrima que se escapaba me dejaba más vulnerable. El perito, absorto en su ciencia, ni una palabra de alivio para la enferma, ni un pañuelo cómplice para contener mi catarata. Con la autoridad que sus grados y posgrados confieren, el doctor Barroso Hinojosa negaba con la cabeza dejando caer sobre mí la sentencia. Uno por uno, los diplomas de aquel plagado consultorio me incriminaban. Ni un gesto de consuelo, ni un chascarrillo que disolviera la tensión gobernante. Más bien severo amonestaba, transitaba por mi piel, exploraba en busca de otra úlcera delatora. Progresando en sus maniobras revisó con alumbrada minucia garganta y tórax, cuando llegó a los senos que colgaban insolentes a cada costado de mi cuerpo, tan desfallecidos, tan distantes pechos de aquellos tiempos erguidos con los que aquel ginecólogo había suspirado, resoplando sobre mis senos, estábamos tan cerca, separados por el pequeñísimo diámetro de la lente de aumento, el doctor Barroso, y yo con el impulso de morderlo, de aventarle a la cabeza toda su academia. Yo que sabía ser feroz en la cólera, yacía callada, quieta, obediente, almidonada ante esa bata. Mis ojos agitados miraban hacia el techo buscando formas erráticas que distrajeran; sífilis, enfermedad muy contagiosa debido al *Treponema pallidum*; sarampión de las Indias, *morbo gálico*, mal de bubas, sarna española, en Francia, mal napolitano y los italianos mal francés plaga roja peste genital; desvergonzados ojos ocupados ojos en su quehacer de lágrimas y la nariz con sus mocos y yo con ese impulso apagado, devastado impulso de golpearlo y asesinarlo con uno de sus múltiples instrumentos criminales y acuchillarlo antes de que sus gasas sus vendas sin escrúpulos sus enguantados dedos atenazaran mis pezones para hurgar en cada uno de mis senos a un lado, al otro, arriba, abajo sacudiéndolos como dos sacos de arena. Meneaba la cabeza, desaprobaba, no sé si contra el curso ruin de mis desgastados senos o en justificación de sus obvias sospechas o si sólo lo hacía para corroborar la ausencia de nuevas evidencias con qué inculparme. Revisó mi vientre franqueado por la cicatriz de una solitaria cesárea, espulgó entre mi vello púbico, hurgó mis ingles, yo luché por distraer mi atención con el timbre del teléfono que no paraba, y no dejé de temer que en cualquier momento la enfermera abriera la puerta, tiene una llamada urgente. Exploró piernas, entrepierna, cuando llegó a la bolita delatora la examinó con detalle. Contuve la respiración temiendo merecer otro regaño, ¿era posible recibir un diagnóstico más vergonzoso? El mismo cáncer habría inducido una respuesta más consoladora, algo que despertara la compasión y la profunda condolencia por quien lo padece. Se deslizó hacia mis espinillas, empeines, juanetes, nada importaba ya. Lo peor había sucedido para siempre. Perdida mi identidad: profesora universitaria, esposa, madre, me convertía en convicta. VÍSTASE. Ordenó sin la menor intención de aliviarme.

En ese momento de humillación él hubiera tenido, debía, abandonar el cubículo. Dejarme a solas para recolectar los restos de honor desplomados por su consulta. Pero no. Sin más pormenores se sentó frente a su escritorio esperando impaciente. Con manos tembleques cubrí mi cuerpo hasta quedar a salvo tras las cortinas del vestidor que me resguardaba. Como emperador o papa, él, sentado en su trono reflejaba erudito el halo del marco dorado de su mención honorífica. Señora Sáenz, hasta donde me dicta la experiencia, confirmó, esto no puede ser otra cosa que sífilis. Debe ser muy vergonzoso para usted, pero creo que ha llegado el momento de la verdad. La verdad, doctor Barroso, como le dije, ese día hice jardinería no prostitución. Pues entonces vaya usted y platique con su esposo, respondió amonestando. De todas formas, y para no dejar ningún cabo suelto, voy a ordenar un último examen de sangre. El llanto volvió a confesarme culpable. Así es el cuerpo femenino. Culpable por antonomasia. Infractora. Venus sin atributos: ni belleza ni fecundidad pero sí vergüenza, mucha vergüenza.

Nosotros le llamaremos, indicó el médico en voz alta anunciando así a sus enfermeras que había acabado la consulta. Mañana, después de las diez decidiremos lo que procede. No quise mirarlo. Asentí con la cabeza rendida. Así también salí del consultorio. Convencida de que todos ahí dudaban de mi decencia o la de mi esposo. Vencida. Salí sin confiar ya en plegarias ni conjuros, derrotado el ánimo me dirigí a casa. Había que esperar pacientes veinticuatro horas. Para qué alarmar a nadie. Esperanza. No se pierde nada.

Alberto, creo que debes hablar con el doctor Barroso. La desconfianza buscaba madriguera, un lugar donde sorprender al culpable: "Hombre noble sin sífilis o no es demasiado noble o no es demasiado hombre", se repite ella involuntaria, acusatoria, resentida: la sífilis en un varón era símbolo incluso de hombría y nobleza. Todos los hombres son iguales. Resonaba el eco de las sentencias de su madre, su abuela, sus tías. Débiles de carne. Sí, un sitio donde verter la causa de tanta deshonra. Guardaron silencio. Alberto con su característico optimismo trató de disuadirla. Cuándo fue la última vez que él tuvo relaciones con una mujer que no fuera su esposa. Querida, tiene que haber un error en todo esto y echó a volar la memoria, se fue allá a los tiempos universitarios. Visitó dormitorios, rostros, gente en la que no había pensado hacía décadas. Luego de divagar le dijo: querida, a menos que la bacteria de la sífilis tarde cuarenta años en incubar, el diagnóstico que te ha dado Barroso no tiene nada que ver conmigo. Y ella volvió a sentir la tentación de inculparse. Cuarenta años. ¿Quién había sido su último amor antes de Alberto? Acarició a su marido, se abrazaron. Como de costumbre cenaron, pero no tuvo ánimo para ver las noticias ni el programa de concurso. No te preocupes, amor, la abrazó afligido, falta el último resultado y ella, encaminándose hacia la habitación, estoy cansada, voy a acostarme. Se desvistió a oscuras. Escondió, en el fondo de un cajón, infractora su ropa interior. No tuvo coraje para ver aquel cuerpo delatado. Se puso su pijama de algodón, se aseó con desgano. Veinticuatro horas, se dijo perdida ya toda esperanza. Se metió a la cama y trató de acallar las imágenes en el consultorio ahora más exaltadas. Qué cruel es la memoria a distancia.

Tendida en una cama de hospital en el pabellón de enfermedades epidémicas se descubría desnuda y llena de pústulas contagiosas. Despertó sobresaltada. Se bañó sin prisa y se alistó para recibir la embarazosa llamada. Por fortuna, Alberto había salido temprano a una cita de trabajo. Estaba sola para recibir el golpe. Diez y diez. ¿Qué querrá decir esto? Buscaba una clave oculta en el atraso. A las diez quince impaciente marcó al consultorio. Habla la señora Sáenz, ¿recibieron mis resultados? y fingió no pasa nada. Permítame, la comunico. Sus lagrimales sobreestimulados se preparaban para el gran final. ¿Señora Sáenz? articuló sin un buenos días cómo está Alberto no se preocupe buenas noticias. Su caso es r a r í s i m o declaró erudito como quien está por dictar una cátedra. Debo confesar que en toda mi carrera… Dígame doctor, interrumpió dispuesta a escuchar cualquier cosa. ¿Comentó usted que el día de la parálisis estuvo en el parque? Los efectos deletéreos a través de neurotoxinas potentes que liberan neurotransmisores producen síntomas idénticos a los de la sífilis y en contadísimas ocasiones.., doctor, ¿podría ir al grano?, habló ella claro, sin tartamudeos. El doctor Barroso, con su particular tono ampuloso precisó: señora Sáenz, por fortuna no ha pasado nada, corrió usted con mucha suerte. Lo que tiene en la pierna es una simple picadura de araña.

Tienes dos ojos y no ves, tienes dos alas y no vuelas

BIEN CAZADOS

Cada cual se forja un dios
de sus ciegos apetitos.
ENEIDA

Saltan en el jardín, se revuelcan. Con inocente rebeldía chapotean en los charcos. Todo el día resollar, perseguir algún juguete, jalonearse. Al primer llamado de su amo acudirán instantáneos. Entre gruñidos y empujones entran jadeando a la casa. Ernesto les da la bienvenida, ya, ya ya, acaricia con tosquedad sus anchas frentes, su corpulento pecho. Ellos corresponden. Brincan, dan lengüetazos, salivan y dejan el suelo pegajoso de babas. ¡Andrea, los perros ensuciaron! Arroja Ernesto el mandato al aire. Andrea aparece al momento: estornudos, ahogos, ojos llorosos. Con pañuelo atado a nariz y boca confronta el desparramo: achú achú achú achú achú innumerables veces. ¡Por Dios, Andrea, a qué tanto estornudo, ofendes! Ordena el amo, *take it!* y se lanzan voraces a sus cuatro enormes platos. Arroz y carne enchilada espolean su linaje. La cacería es un prodigio, afirma Ernesto y abre, uno por uno, el hocico de sus animales. Revisa salud y filo y con extraordinario tino les arroja tónicos y vitaminas. Luego la rutina de siempre, sentarse, rodearse de ellos, leer el periódico, y ellos, agazaparse, subirse al sillón, echarse o simplemente rascarse, frotar sus cuerpos. Lo adoran. A donde él va lo siguen. Ávidos de caricias, un parpadeo, una mueca los complace, los pone a su disposición, a su servicio. Obedecer, obedecer. Sólo en una ocasión un desafiante gruñido aplacado con un golpe seco y tres días de hambre. La subordinación, piensa satisfecho, transforma la fiereza y en un santiamén toda su esbelta musculatura se mitiga y son inofensivos cachorros retozando. Mi pequeño hijo será bravo cazador como su padre, tan pronto abandone esas mariconadas de pañales y mamilas. Son un portento, declara y acaricia la suave pelambre de sus rottweiler; se deja contagiar del valor de ellos. Galopar con la presa chorrear sangre entre sus asombrosas mandíbulas, destello de ojos, ferocidad salvaje. Así creció Ernesto. Cada temporada acompañar a su padre al rancho: rifles, cuchillos, cantimploras y el extraño gusto de entrenar rottweiler para la cacería.

Al principio la familia entera: mujeres abnegadas se abocan, según ellos, a chismear, envidiar, pelear, encontentarse y a despellejar kilos y kilos de carne. Con el tiempo, sólo hombres. Ellas no sirven para estos lances. Ni para muchos otros, comentan mientras intercambian miradas cómplices y burlonas. Pero más bien ellas desisten, renuncian a la sanguinaria diversión de sus maridos. Y ellos aprovechar su ausencia. A prolongar la salida hasta agotarse. La caminata desde la madrugada hasta que el sol se oculta. Sin mujeres no habrá prisa ni exigencias absurdas de pulcritud y orden. Por las noches la tertulia, historias acompañadas de sabrosa comida, buen whiskey y a descansar a conciencia sin obligaciones de cama. Madres, tías, cuñadas, sobrinas, sustituidas por un ejército de criadas y mozos a preparar el asado del domingo. Nunca de esa carne para sus animales. Ni siquiera olfatearla, a menos de que su amo, *take it!* Y entonces sí, al corazón o alguna otra jugosa víscera de sus sacrificios; sí, a enloquecer y devorar como lobos.

Asombroso deporte, medita Ernesto, contagiado por lo brutal de aquel rito. Matar despierta el instinto, otorga poder divino. Y él, desde pequeño a divinizarse. Comen, conversan, beben y a la mañana siguiente ya jaloneándose, ya gruñéndose, ávidos por la señal que los lanzará tras sus presas; a levantarles la huella, a cercarlas, a encaramarlas en algún árbol, a enloquecerlas con penetrantes ladridos. Muy niño comenzó Ernesto. Con excepcional puntería, primero sólo el remate. Acorralar al animal, inmovilizarlo y finalmente concederle al pequeño el honor del tiro de gracia. Es de asesinos dejarlo que sufra, indica el padre en su papel de maestro. Asiste a su hijo; un rifle ligero, bajo calibre ¡bummm! Tras el estruendo la muerte es suya. Más tarde, el hermoso Winchester. Con iniciales sus infantiles crímenes: palomas, conejos, pavos que suman docenas para ser apenas un niño. En letras doradas E. A. M., la anuencia del padre. Después avanzaría al venado, jabalí o algún tigrillo. Sus guillotinadas víctimas ostentarán la pared azul de su cuarto.

La boda con Andrea, un acontecimiento. Página completa en el *Reforma*, vestido de Dior, esmoquin color crema. Una pareja envidiable. Las familias encantadas. El día que la pidió: te invito a Valle. Ella no sospecha nada. Volar *hang glider*. ¡Qué divertido! No expresa más para no llevar la contra pero la horroriza el vértigo. ¡Ven!, la ayuda a subirse y corrobora que esté bien atada. Déjate guiar y obedece. A la orden de *go!*, una breve carrera, brincan desde el acantilado, alzan el vuelo; Andrea cierra los ojos. No ver distrae el pánico. Helada, con la respiración herida, suda frío y reza un padrenuestro. El rugir del viento apaga su plegaria. Ernesto sagaz aprovecha las ráfagas, flotan, se deslizan. ¿Qué tal, mi vida? Ella, muda, impotente finge contento, pero no articula. Se elevan con maestría. Andrea, al fin, abre los ojos. El espectáculo azul cielo la fascina. Peter Pan ofrece a su Wendy entrar al mundo de las nubes. Andrea recuerda: ¿son dulces las nubes? Y su madre: algodones de feria. Se emociona. Abre los labios para saborearlas. Una ráfaga de aire tibio le da la bienvenida. De pronto caer de nave la nube abre insaciable sus fauces los succiona todo es blanco Andrea manotea suben despeñados hacia el espeso vacío patalea abrirse paso entre aquella densidad gritar el nubarrón asfixia arañar se retuerce busca el aire que le falta frotar los ojos expandir pulmones ciega de blanco pierde horizonte dónde el valle dónde el cielo las coordenadas de su cuerpo la extravían caer caer adentro del precipicio vaporoso el escándalo del viento sordo y mudo y todo es una espiral húmeda que la derrumba. Ernesto finge perder el mando y estar desesperado. Un impulso vertical con puntería precisa clava la nave hacia el precipicio, salen de la nube. Ella no distingue si escalan o escurren. ¡Auxilio! Al fin una vocecita flaca, ciñe con fuerza los brazos a la cintura de su novio, él se endiosa. Un solo giro y sale triunfal de su insolencia. Como héroe de estanquillo retoma el mando, levantar vuelo magistralmente. Ja ja ja, Tontita. ¿Qué imaginaste?, ¿que volabas con un inexperto? La acaricia, ya, ya ya, no pasó nada. Andrea solloza, da gracias a la Virgen pero el estómago ha tomado su propio curso. ¿Soy un águila, verdad, Andreita? Aprovecha un instante de tranquilidad atmosférica, toma la mano helada de su novia, la besa y coloca, sobre su hermoso dedo anular, un diamante blanco de tres quilates. Entre mareos y asfixia se desabraza sólo un instante, mira fulgurada y se asegura que el anillo no resbale por el ajetreado dedo. Envuelta en su destino nupcial desea ser feliz en ese momento, el más importante y temible de su vida, pero el pánico amontonado, el zarandeo, la conmoción del anillo, le espolean el vómito. Tan bella, así, sin mayor aviso, salen a chorro chilaquiles, papaya, jugo del desayuno en el club Avándaro.

Desde niño muy de emociones fuertes. Arrancar de los filosos colmillos la presa a sus animales. Ensayar a ser feroz con extraño gusto por la sangre. Colocar entre sus dientes la codorniz recién cazada, gruñir, sacudir la cabeza y entregar la caza al orgulloso padre. Único heredero, nacido en buena estrella, casa en las Lomas, alberca, cancha de tenis, auto propio a los diecisiete, vocho rojo del año, como premio por su buena puntería. Recoger amigos, jugar arrancones o simplemente transitar zonas residenciales en busca de sirvientas cargadas de bolsas para pellizcarles las nalgas.

Ernesto moría de risa ante la escena del vómito. Andrea quiso reír también, pero le ganó el llanto. Pálida y enferma, con la mirada escurrida de rímel y las ojeras de mapache por el espanto, tan pronto aterrizan se arregla un poco, ve su imponente anillo y se le asienta el sobresalto. Al fin mujer comprometida, asumir muy el anhelo de padres: gracias, mi amor; deslumbrada con fidelidad devota: qué original eres. Y en el intento del beso, Ernesto interpone el brazo, sonríe encantador, con un solo gesto: primero ve al baño, ¡quítate ese batidillo! Andrea apenada corre a cepillarse el cabello, a lavar las manchas de su blusa, a enjuagar su hermoso rostro. Un poco de rouge, labial discreto, perfume, niña bien del Regina, de uniforme almidonado, de monja. De padres juiciosos devotos de misa y cura. La mayor de los ocho que Dios les mandara. Obediente, responsable. Defender su virginidad hasta la boda.

Linda la casa en Bosques de las Lomas. Amplia, luminosa como la soñó Andrea. Arreglada por decorador prestigioso. Conocedor de las extravagancias de Ernesto, puertas abatibles para que los perros entren y salgan a su antojo. Andrea alérgica. Nunca antes convivir con animales, el mínimo roce le arrastra el asma. En su nueva vida, nada afectó tanto a Andrea. Ni el hablar golpeado de su esposo, ni su abusiva forma de hacerle el amor, ni la vergüenza por la repulsión que Ernesto mostraba por ella muy de mañana, ni plancharle la almohada para desinfectársela cada noche, ni frotar sus cubiertos antes de cada comida, ni los perros a la mesa, a su plato, a la cama, ni limpiar sus babas pegajosas, ni lavar kilos de carne, repartirla entre familia, amigos, cubetas llenas de vísceras para premiar a los perros. Nada, excepto sujetar los ataques de asma, no estornudar mil veces, no ahogarse para no ofender la pasión ofuscada de Ernesto por sus adorados rottweiler.

Andrea concibió pronto. Su marido ni sí ni no. Más bien no, pues durante los nueve meses se negó a tocarla. Así hay hombres, dicen a Andrea las amigas, les da asquito el embarazo. Se resigna. Considera descanso la distancia. Alivio de negligés, películas porno, salones de belleza, masajes, perfume en sus partes íntimas y todas las exigencias que su marido imponía para acercársele. Dedicada a concederse, apapachar al bebé que patea y codea dentro de su vientre al ritmo de *Baby Mozart* de la colección *Clásicos para neonatos* y al intento inútil de atraer a Ernesto a la familia, a que dejara a un lado la cacería, los perros al rancho por el bien de su hijo.

Una mañana temprano, le llaman al rancho, dígale al señor Ernesto que ya es papá. Fue niño. Al día siguiente, poco antes de acabar la hora de visita pasa a saludarla. Por primera vez en nueve meses besa sus labios. Felicidades, mi amor, ya nació tu juguetito. Vamos a la cuna, pide ella emocionada. Mañana, mañana. ¿Cuál es la prisa?

Ernestito Jr. llegó justo al año de casados. Los abuelos a celebrar el arribo, pompa y platillos. El moisés, con las españolas de la calle de Durango, el mejor tul importado, su ropita lavada a mano y suavizada. Altero de pañales desechables, suplementos, juguetes, carriola, silla alta para darle de comer, andadera, corral, bañerita. Nada le faltaría jamás a esa criatura. En el cuarto del bebé, sobre la pared azul rey, la cabeza de un pequeño ciervo. A Andrea no le parece apropiado. Déjalo, le aconsejan, es el padre. Para endulzar la temible mirada de vidrio del infeliz disecado, Andrea cuelga un letrerito que dice *Bambi*.

Ernesto no se le acercó al bebé los primeros tres meses. Así son algunos hombres. No saben relacionarse con el bultito de gelatina. Que crezca, que embarnezca, que se le quite ese olor a caca y a meados. En cambio Andrea mijito para todos lados. Ya no hay tiempo para comida de perros ni limpieza de babas. Queda dispensada de tales labores. La suegra, solidaria: que los animales duerman afuera, una temporadita, mientras se recupera tu esposa.

Un domingo por la noche, Andrea se dispone a tomar un baño de tina largo y relajado. Ernesto acaba de llegar del rancho. ¿Te encargo al niño un ratito? El bebé balbucea tranquilo en su moisés de tul cielo, Ernesto lee el periódico. Los perros retozan, cansados. Por primera vez la tentación de cargar a su hijo. Se asoma al moisés, el pequeño sonríe. Lo acaricia con tosquedades, nota que el cuerpo del bebé ha embarnecido. Ya es niño piensa satisfecho. Lo saca juguetón lo lanza hacia arriba lo cacha en el aire. Las piernas rollizas se sacuden. La criatura suelta una carcajada nerviosa. Se sienta en el sillón, trata de acomodarlo en su regazo. El niño responde dócil. Tú y yo vamos a ser los mejores amigos. Lo lleva a su habitación, la que suavizó Andrea con pequeños detalles y que estrenará tan pronto lo desteten. Le muestra por primera vez al Bambi. Ernestito desconoce, lloriquea un poco, yaa aa aa, ya aa aa aa, lo calma, unas palmaditas, un poco del té que la madre dejó en su mamila para distraerle el hambre, otra sonrisa. Lo eleva a la altura de su cara. Los cachetes rozagantes manzanas le musita al oído: mira bien la broma que le vamos a hacer a tu mami, tú calladito. En secreto como quien habla entre adultos. Con el niño en brazos se dirige a la cocina. Toma de la cubeta un manojo de vísceras recién traídas del rancho. Ja, ja, se las muestra al niño. Gimotea. Las hambrientas bestias se alertan. Lo siguen excitados. Chorrea sangre por el pasillo. Los perros lamen. Se dirige al cuarto, arroja la carne a la cuna. Ordena, *stay*! Los perros tensan los músculos, tiemblan, abren las fosas nasales. Ernesto deja al bebé acostado en el futuro cuarto azul de la criatura. Regresa a sentarse a su recámara. Cuando escucha a Andrea salir del baño, en voz baja ordena: *take it*! Los cuatro animales enormes se erizan, asoman sus dientes blancos, tras un gesto desafiante arden, se atropellan. Con los hocicos insaciables, con su crudo delirio clavarán sus furiosos colmillos en la carne. Se arrojarán enloquecidos sobre el hermoso moisés de tul importado. Ernesto se excita. Reitera con satisfacción la bravura de sus perros, la de sus antepasados. Un antiguo gusto a muerte le regresa a la lengua.

Andrea sale de la tina tranquila. Tan fresca y radiante como una reina. Perfumada y feliz, con los pechos henchidos escurriendo la leche que Ernestito demandará de un momento a otro. Bella, ufana como madona se envuelve una toalla en el cabello, seca con calma su piel y comienza el ritual de lociones y menjurjes: para estrías, pechos, pezones, para la resequedad de los pies, de las manos, de la cara. Al espejo con complacencia. Ha perdido los kilos que sobraban. Tres meses de haber dado a luz y ha vuelto a la talla que Ernesto exige. Ejercicio y masajes. El cabello su brillo y la piel su tono dorado. Se pone las pantuflas, su bata, abre la puerta. Frente a ella la colosal habitación con su terraza, su silla mecedora, su pequeña sala de estar, su televisión plasma y sobre la mesa de caoba pulida una bandeja con termos de tés exquisitos, flores y fruta fresca. Arriba de su cama, como trofeo, o como un Cristo, la fotografía amplificada de la boda. No alcanzará a salvar a su niño de la cuna herida. Corre, se abre el precipicio. Cae, cae como arrojada del acantilado. La escena desbarranca. Del baño a la cuna el descenso será infinito. Para cuando arribe al atropello, los perros habrán devorado al hijo. Sólo carne despedazada en aquel paisaje. Ernesto corre a la sala. Levanta al niño que berrea de hambre. Ja, ja, ja, te lo creíste, mira, aquí está Ernestito, no pasó nada. Los ojos de Andrea se derrumban, se dirigen una y otra vez hacia la cuna ensangrentada. Ya no escucha el llanto del niño. ¡Despierta, tonta!, grita Ernesto y cuanto más fuerte grita más quieto se vuelve el mundo. ¡Despierta! Le arranca la bata. Prende al hijo de su pecho. El niño succiona con ansia. El aire quema. ¡Despierta, Andrea!, no estoy jugando. Vuelve, ahora mismo, le ordena como acostumbra. Pero a ella, se le ha desplomado el habla. Quijada y brazos desfallecen. Los ojos disueltos en un solo sitio para siempre.

La nada no me disgusta, es la mejor opción ópticamente hablando

Marianela · 03

La nada

¿QUIÉN ES OTRO?

El encuentro con el otro es el milagro
de la salida de sí mismo
E. LÉVINAS

Apareció en el jardín de un zócalo, guitarra en mano, en el meñique un anillo de oro y piedra de rubí, camisa azul rey, bien planchada, impecable, pantalón gris de casimir, zapatos negros recién boleados, pelo oscuro muy lacio, doblegado por el prodigio de una generosa dosis de brillantina y un bigotito perfectamente bien recortado teñido de negro azabache.

Era domingo a mediodía, primavera, la gente salía de misa, deambulaba. Iba él mirando alrededor de la plaza, la guitarra vertical, uña de carey que de vez en vez sostenía dulcemente con los labios, circulaba alrededor de la plaza ágil sus treintaitantos años, brioso, buen ánimo. Desfilaba tarareando mientras buscaba una banca sombreadita que no estuviera bajo un laurel porque sabía que en camisa de domingo no falla caca de pájaro; tampoco tan sombreada para que la voz no se le enronqueciera, algo de sol, no demasiado, y canturreaba el músico, como cualquier otro, en espera de ubicar el punto ideal para asentarse. Por fin, al lado de lo que parecía un concilio de globeros, cada cual sometiendo con vigor, como domadores de circo a sus fieras de gas que forcejeaban por fugarse, por volar tan alto para que nadie las alcanzara, allí, al lado de ellos se desocupó una banca cotizadísima, sin laurel ni tanto sol ni excesiva sombra. Guardó escrupuloso la uña de carey en la bolsita de su camisa azul, extrajo del pantalón, radiante a cuadros su pañuelo y desempolvó con cuidado el sitio atesorado. En un atisbo veloz verificó que no hubiera mejor lugar a la redonda y se acondicionó satisfecho. Todo esto lo hizo sin desasirse un segundo de su guitarra. Miró aquí y allá y orientó el anillo para que la piedra roja centelleara, vio la hora: las doce ocho, elogió el extensible nuevo de su reloj y extrajo de su bolsita ufana, la uña de carey. Ensayó algunas pisadas de rutina. Al tiempo que afinaba se dispuso a canturrear bajito. Pero más bien jugueteaba con su guitarra, con su voz, como hacen los músicos, que no toleran traer ocioso el instrumento. En aquella magnífica hora del día, soplaba un viento tibio y se regodeaba el músico de su soledad, de su banca, se deleitaba en esa especie de paraíso en el que uno cae cuando todo, absolutamente todo está en su sitio. Poco a poco fue animándose y lo que era tra-la-lá se tornó en letra sabida y al cabo de un rato se hallaba solo, él y su guitarra y su banca perfecta. Cantaba modesto el músico, pero muy digno.

En ese momento pasó por allí un vagabundo. Por su modo de caminar quebradizo y tambaleante aparentaba más de setenta años y por su pantalón verde oscuro agujereado y sus tenis sin abrochar cobijando unos pies desnudos de piel árida y encostrada de mugre, y por su chamarra café desteñido y su gorrita beisbolera y su cuerpo oscuro, empequeñecido y tieso, por sus ojos sucios, vencidos por un velo blanquecino, quizás por eso representaba setentaitantos. Escuchó la música el vagabundo y, como abeja al basurero que punza la miel de algún dulce abandonado, se sintió atraído y se posó frente al guitarrista. Éste, en un intento vano de guardarse, aparentó no verlo y continuó su canto. El vagabundo, adherido al confite de la melodía, balbuceó unas palabras, susurró para no interrumpir sino alentar al cantante. El músico, ahora más astringido y arrancado ya de esa cadencia idílica, cual exiliado de un sueño, expulsado bruscamente de su relajado paraíso, simuló, una vez más, no vislumbrarlo. El vagabundo, cautivo, desacompasado y tembloroso se sentó juntito a él. Entrecruzó las piernas y así solitas como sin dueño las columpió siguiendo el ritmo con detalle, y volvió la mirada a su músico en busca de camaradería. Lo hizo igual que antes, discretísimo, en el mismo designio de elogiar pero sin distracciones. Al deplorarlo tan cerca, el músico interrumpió un segundo. Giró cauto la piedra del anillo para evitar tentaciones. Movió la nariz cientotreinta grados y evadió el potente olor a rancio. Molesto y objetante le confirió una humanidad inferior a la propia. Sin más, suspendió el concierto. Emplazó su guitarra en vertical para resguardarse y torció el cuerpo para evitar a toda costa cualquier contacto con aquel fastidioso individuo. Un solo instante de proximidad vagabunda le crepitó el repudio y lo sacó de quicio. Así, ofendido y feroz se silenció el músico bajo ese cielo azul rey como su camisa. El vagabundo, frágil ante la tentación de aquella guitarra erguida, hermosa joven piel caoba, desnuda sobre las piernas de su músico, acarició delicadamente las cuerdas de la muchacha como quien roba un fruto y sabe que en cualquier momento será sorprendido. Con sus uñas largas, ennegrecidas la rasgueó y dejó relampaguear la sonrisa maldosa de quien se sabe culpable. El músico arrancó su pañuelo raudo y limpió las cuerdas. Se aplacó el copete, el cuello almidonado y ahora sí, francamente incómodo, permutó su guitarra vertical a la otra pierna. Duraron así algunos instantes, cantor guitarra y vagabundo abandonados a la suerte de un horizonte infinito. Por un solo segundo aquellos tres cuerpos solitarios toleraron el encuentro del entendimiento tácito. Los dos hombres alcanzaban a escuchar los manotazos de los domadores de globos sujetar a sus parvadas salvajes, disminuidas ya en volumen por la demanda inherente de domingo. Un inofensivo gesto había quebrantado la frontera que los separaba. Con tan sólo aproximarse se apoderó de la guitarra y de su músico como se adueña de la piel la mano que acaricia. Molesto por el descarado escrutinio, el de la guitarra se desterró hacia otra banca. Supuso que así, lejos del desharrapado se libraba también del vértigo de la errancia otra. A la vuelta, junto a un escritor que hacía largo rato trabajaba, acusó un espacio disponible debajo de un peligroso laurel y claro, lejos de la paradisíaca perfección de la desbancada por fuerza. Resignado archivó la uña de carey en la bolsita de su camisa ya no tan planchada. Arrancó cansado y deslucido su pañuelo. Aseó el lugar, ahora con menor diligencia. Lo hizo atento de no desprenderse de su instrumento. Ya sentado, suspiró, colocó la guitarra sobre sus piernas, extirpó la uñita de la camisa, practicó algunas pisadas, afinó, tarareó hasta entrar de nuevo en ese estado anhelado de relajación y esparcimiento. El vagabundo, que no desató ni un momento sus oídos de la guitarra, permanecía en su banca pensativo filósofo que reflexiona sobre temas de crucial trascendencia, al tiempo que aguardaba atento las tentativas del músico. Enlazó manos y piernas y avispó el tímpano para auscultar la melodía ahora más lejana. Se giró levemente en dirección del que cantaba con la esperanza de entrelazar miradas cómplices. Como no le ofrecieron tal cruce se levantó desmañado y entre mil padecimientos se lanzó a la aventura del encuentro. Semejante pericia ponía en juego su alma y su cuerpo roídos. Milagrosamente de pie se acercó a un globero. Le pidió un cigarrillo. Éste le obsequió el final del que se fumaba. El vagabundo absorbió, largas y resueltas dos aspiraciones de tabaco desde su noble estilo. Tiró la colilla y pilló valor para allegarse al cantante. Bajo el destemplado contacto del rechazo, se detuvo ante él. Con el temblor de sus pasos y su decisión férrea bailó la nostalgia de otros años. Bailó y bailó, entrelazadas las manos. Cuando terminó la música, el escritor, que hasta entonces había luchado por no involucrarse, aplaudió entusiasmado. El aplauso era sin duda para el vagabundo, quien tras una torpe y primaveral reverencia esbozó la sonrisa del éxito.

El músico encumbró el talante como el que alza un escudo para ahuyentar al enemigo. Escondió su garrita de carey, acomodó anillo, cabello, y guitarra, extrajo amenazado el pañuelo y secó la cuadrícula húmeda de su frente. Huyó herido. Aquel rostro era ofrenda, confidencia de alianza insufrible. Destronado se ahuyentó ante la deuda contraída a pesar de sí. Ahora llevaba a cuestas la carga de una existencia errante. El vagabundo retornó a su banca. Sostenido del respaldo se acomodó con cautela. Hurgó en el interior de su chamarra. Rescató, añeja, una cajetilla de Delicados sin filtro. Con precisión de cirujano y sin escatimar se asignó uno, completito. Lo encendió en calma. Sopló despacio el humo seco de su cigarrillo. Lo fumó lento mientras anhelaba, sin piedad, avizorar a su músico. No lo halló. Con paso lento, demasiado gastado, vio caer lento la hoja del árbol, lento balancearse sus ramas con aquella brisa suave de lenta primavera. Solo, como cualquier vagabundo de caminar turbio y soledad sin punzada, desde el fondo de su cansancio, con la voluntad férrea de los que siguen el trazo tenue de un destino, se levantó lento y lento se encaminó para llegar a ningún sitio.

Así no puedo cantar

LOS INVISIBLES

Planearon el viaje con un año de antelación. Ahora sí un mes completito. Lejos de rutinas, compromisos familiares, cenas, llamadas ineludibles: ring, tu hijo, ring, ring, tu padre, ringringringring, la tarjeta de crédito, ring, la compostura del auto. Un mes disponible para la anhelada lectura, el estudio y hasta para crear, pensó ella con recelo porque entendía los caprichos de la escritura y no quería adelantar júbilos o mejor dicho extinguirlos. Tan reemplazado lo importante por lo urgente en esa vida acarreada, anhelaba, al fin gozar de tener tiempo. Él, optimista con su propuesta de beca; ella, con revisar las galeras de su libro, con el aislamiento y la dedicación absoluta… un nuevo proyecto. Para el festejo de año nuevo, cenar en casa, un buen vino, música. Poca ropa y muchos libros. La selección fue ambiciosa. Un mes es mucho. Tic, tiempo, palabra peregrina, tac, rumió ella, el tiempo es ajeno, nunca propio, eternamente en función de algo, de alguien y los desvíos infinitos.

Al fin llegó el día. Amaneció asoleado pero frío. Él, optimista, planeaba meticuloso en su agenda el avance por semana, por día, por hora. Ella, con el buen ánimo característico de los viajes planeados y los días de sol. Se veía linda. El color rojo le va de maravilla, a él también. Todo a su alrededor era posible esa mañana de diciembre. Todo, hasta comenzar otra novela y terminar el largo trámite de la beca. Su corazón repiqueteaba con la fuerza de un corazón aventurero. Conversaban amenos, adornados los ojos de buen ánimo, de innumerables propósitos. Un mes es mucho, repitió él y ella asintió vaga. Conocía los ardides del tiempo, es difuso, arrebatador, afirma en silencio, como el deseo. Sabía que cuando patrullaba el reloj en las noches de insomnio, era infinito. Eterno cuando se vigila la olla con leche y breve, brevísimo, para quien se regocija. Pero apenas se distraía, el tiempo echaba a correr despiadado. Un mes, pensó, y sabía que deseaba ir al encuentro de algo. ¿De qué? ¿Cómo reconocer lo que se busca antes de hallarlo? El marido la vio y advirtió en su mirada un gusto discreto por la vida. Más bien un desapego temporal de aquel desaliento enquistado hacía mucho. Entendía que el tiempo anda a hurtadillas y engaña. Que la alegría es préstamo y hay que mantenerla en secreto. También distinguía que la única y verdadera libertad eran el hallazgo, el asombro. Pero esa mañana el marido le descifró la mirada y ella se sonrojó como su blusa; sabía que tener suerte es encontrarse una moneda y no tener que levantarla. Andaba por el aeropuerto de rojo como mujer encinta y se bamboleaba ancha: barco que avanza hacia su destino, andaba en el hondo intento de ser su propia ella. Deambulaba el mundo un paraíso vacante y extenso, para servirse con cuchara grande. Aunque en realidad ella nunca se servía con cuchara grande, era menudita. ¿Se te antoja una torta?, preguntó el marido con ánimo de complacerla. Sí, y un capuchino. Los trámites del aeropuerto los soportaron sin rezongo. No eran vacaciones, les quedaba claro, sobre todo a ella que gustaba de merodear e inventaba innumerables razones para el desvío: jícamas con chile, un paseíto, hacer el amor, corretearse, conversar sobre algo o alguien. Trabajo y aislamiento advirtió él varias veces, unas muy serio, casi como amenaza, otras bromeando. Nada de distracción, fue el acuerdo.

Llegaron al departamento ya de noche. El clima era templado. El amueblado sencillo, una mesa, una cama, más que suficientes. Llamó la atención de ella un auricular plateado, muy moderno que ostentaba solitario en aquella estepa. Desempacaron, tendieron la cama, se refrescaron y salieron en busca de una cafetería abierta. Durante la cena reiteraron sus propósitos, él principalmente: nada de distracciones, te lo ruego. Temprano mañana, nuestro ejercicio, una hora de caminata en el parque, rápido algunas compras y a comenzar el codiciado propósito.

Tic, despiertan, tac, las cinco en punto. Amanece en trazos discretos de naranja. Hacía mucho no presenciaban uno. Constreñidos en el barrio burgués y suburbano de la ciudad donde viven, más bien subsisten carentes de paisaje entre antenas parabólicas y murallas a prueba de ladrones. Hacía meses no les rayaba el alba al despertarse. Contemplaron la madrugada. Tic, cuarenta y cinco minutos de meditación tibetana, tac, tic, los tenis, tac, tic, al parque tac. ¡Qué dicha recorrer el jardín y nombrar el alba antes de que amanezca! Regresaron al departamento. Tic, un desayuno sencillo tac: cereal con fresas. Fresas, fruto mortal y exquisito. Tic, las diez en punto tac. Encendieron sus computadoras. La última sonata para piano de Beethoven. Allá, enfrente, el parque espléndido. La tetera anuncia hervores de tren que arriba. Sobre la mesa Blanchot, Broch, Lezama. Junto al marido, el grueso libro de Bourman. Ella con la tentación de vigilar el reloj para alargar y ensanchar los días. No era el caso. Nada los apremiaba, las ilusiones fluían sosegadas por el buen augurio y la disponibilidad. Nada excepto muchos planes. Tan optimista perspectiva hacía insuficiente el altero de libros. La noche los alcanzó rendidos y hambrientos. El día había pasado en desplegadas y rendidoras horas. Envueltos bajo el manto de la realización añorada. Para la cena, algo nutritivo: jamón de pavo y ensalada de lechuga con fresas. Pensó ella en un instante de divagación, tal vez en tiempos de Eva, la manzana como la fresa era mortal, por eso la amenaza, y mordió prohibida el fruto. Salieron al cine, una película bobalicona y romántica. La luz de las cinco anunció nueva mañana. Abrazados ante la tenue combinación de rosas y naranjas se amaron. Tic, al parque, tac, al desayuno. Asearon breves el departamento. Tic, las diez en punto, tac, a fructificar. Encienden sus computadoras. Ahora, la tercera sinfonía de Górecki. Al compás de la música los planes maduran. Tic, la una, tac breve descanso, un refrigerio. Ella perfiló un cuento; él, su planteamiento general de beca. Tic, las siete, tac. Un suéter calentito, un paseo. Él, en conversación calmosa comenta sus hallazgos, ella los suyos. El día se esfuma largo y saciado. Exhaustos duermen hasta pintar las cinco. Tercer día tic, las diez, tac. Emergen tranquilos, al acecho de una idea, de un entendimiento posible. Riiiiiing, a media mañana los sobresalta como estruendo: ¿Bueno? ¡¿Mamá?!, hooola. ¿Nosotros?, bien, muy bien, increíble. La estamos pasando increíble. ¿El clima? Asoleadito. ¿Ustedes? ¿Año nuevo con nosotros? Ella se pierde en los botones numéricos del teléfono plateado. Entra oscura en su laberinto, mira el color azul de la marca del auricular, piensa en el pájaro que ayer se asomó por la ventana. En la abeja. ¿Cómo podía una abeja volar tan alto? Ahora se extravía en las emancipadas ardillas del parque, recapacita, el único acto de libertad es encontrarse a sí misma. ¿Bueno?…, hija…, ¿estás allí?… Síí, mamá, aquí estoy. Nos vamos con tus tíos. La pasaremos lindo juntos. Oye, por cierto, aparta lugar en la Asunción o en Don Fermín, para año nuevo. Sí, mamá, qué bueno que vienen, ¡qué bueno!, dice destituida. Reducidas las ilusiones a su mínima expresión. ¿Cuándo llegan? Y el ¡qué bueno! restriega la garganta y la voz se apaga y los ojos se llenan tenues de agua porque la presencia de sus padres la disuelve, la deshabita de sí misma. ¡Qué bueno!, suspira desfalleciente y se avergüenza de haber deseado lo prohibido: ser libre. Y ya no quiere lo que tanto anhelaba y se esfuma la codicia de descubrir algo. Un año de planes diluidos por las venas del teléfono. Sí, hasta pronto. Hasta muy pronto. Y el muy la esfuma en su verdadera cobardía, se siente provisional como feria de pueblo, reconoce que sin ellos, más bien sin la aprobación del padre, no ha dado un paso. Como meter los pies en zapatos apretados: si sales ya no encajas; encajar es imprescindible. Explícales que éste es un viaje distinto, que no son vacaciones, que es trabajo. Diles que yo… que tú… hazte visible… La consuela el marido, la asesora. No hay tal cosa. No entenderán. ¿Cuánto ganas escribiendo? Pregunta el padre. Sin remuneración no es trabajo, es recreo, y si es recreo puedes dejar de hacerlo para estar con tus padres. Te lo advierto, dice el marido, no los veremos a diario. Tú no, si no quieres; yo, diario un ratito. Son mis padres, están viejos. Si fueran los tuyos sería distinto. Los míos no son tan demandantes. Sí, lo sé, no dan guerra ni nada. Y los tuyos sí dan mucho, mírate al espejo, ve muy bien lo que te han dado. Guardan silencio y otorgan a las palabras la posibilidad del arrepentimiento. Acceden para no lastimarse más. Saben de sobra que la verdad levanta muros, que hay que decirla a oscuras, con un poco de lástima. Él se sienta malhumorado a la computadora. Hace aspavientos, azota a Bourman y sus mil páginas. Tic, se obliga a avanzar en sus pendientes, tac, ella corrobora que el enojo es ancla. Tic, no avanza, tac. Mira hacia el parque, vuela la mirada sobre las copas de los árboles. Trata de aprehender una imagen difusa. ¿Cuál? Ella desea descubrir pero no reconoce lo que busca. Observa la montaña de libros, ¿para qué tantos?

Ring, todos los días, desde que llegaron sus padres. Ring, sin falta, a primera hora: ¿Qué van a hacer hoy? Nosotros estamos libres. ¿Damos un paseo? Ring, no se olviden de la cena el viernes. Ring, una heladería nueva, un centro comercial, una exposición de mariposas monarcas. Tenemos chamba, papi. Por eso, entonces, ¿a qué hora nos vemos? Ring, grita a media mañana: ¿Qué hacen?, estamos muy cerca, ¿les caemos un momentito? Ring, otra vez espanta: ¿qué hacen? Sin esperar respuesta, ¿vamos al cine a la noche? Él hace muecas, se niega. Es que yo…, a mí…, quiero…, necesito… Tic, ruge el ring, tac, ella accede: por eso, ¿a dónde nos vemos? Atrapada entre sangre y sueños, desencontrada, acepta imposiciones de padre y arrebatos de marido. A la salida del cine: ¿cómo ven una ensaladita? El marido silencioso escupe un gesto, se niega. Ella, mareada, jaloneada, confusa, emite un no, casi inaudible: prefiero irme a casa. El padre desaprueba. Ella lo ve tan poderosamente desvalido, la madre tan suplicante: una ensaladita ¿qué les cuesta? Toma valor la hija, el marido apoya. Estamos cansados, no tenemos hambre. Bueno, bueno, hagan como quieran y se despiden defraudados por el egoísmo de los hijos. Los ve alejarse lentos. Oscuramente viejos. Viejos de la noche a la mañana. Caminan encorvados. Ella se pregunta callada si algún día, cuando falten, podrá perdonarse. Si estará a la altura de verse sin reproche. Se pregunta hurtada de sí misma: ¿Con qué clase de recuerdos me atormentaré en su ausencia? ¿Cómo toleraré su ausencia? ¿Qué antiguas esclavitudes saldrán a mi encuentro? ¿Qué liberaciones me empujarán al precipicio? Ella se reconoce rencorosísima y sin la menor piedad o camaradería para consigo misma advierte que jamás podrá perdonarse. La muerte debería encontrar a mis padres vivos. ¿Vivos? Los ve tomados de la mano, cansados. Ya estuvimos todo el día con ellos, qué tanto sacrificio es acompañarlos a su ensaladita. Se alejan como en un sueño. Ella se arrepiente. ¿Qué me cuesta? Ve a su padre doblarse. Él, que en otros tiempos fue toro impetuoso, hombre que sólo sabe amar con la cabeza, que divide el mundo en éxito y fracaso, que trabajó la vida sólo para ser bien juzgado, para que se diga de él que es hombre cierto y la madre ácima, guarda las pascuas sin levadura, ayuna los perdones y alumbra los viernes para calmar la cólera divina; y la hija recordó haberle dicho un día: Dios no es castigo. Trastocar el culto es individuarse, poseer un rostro, desemejarse. Destruyes la labor de generaciones enteras, repite el discurso tantas veces atendido y reitera, la igualdad es caída. Los ve alejarse como tras un velo. La madre maciza acompasa a su marido. Cuánto anhelaba la hija conocerle el pelo blanco a su invicta madre.

Allá van los dos solos rumbo a su ensaladita. Ella teñida de rubio. Tersa como jabón de lujo. Él inclinado, con lentitud furiosa. ¿De qué hablarán después de cincuenta años de intachable matrimonio? ¿Qué se dirán?, hay tanto silencio alojado entre ellos. ¿Se habrán amado? Se ven tan fatigados. La hija duda por vez primera si sus padres han sido felices. Él, tan habituado a sus admiradores. Ella exenta de toda ansiedad y amoldada a pasar la vida de película. Sitiada entre los cuatro muros del hogar vive privada de peligro. Él, dueño y señor de tantas cosas, ahora, ausente de fuerza, derribado y por lo mismo intempestivo, irrespetuoso. Y su mujer, ¿por qué no vienen a vernos?, estamos solos, ¿ya no les gusta mi comida? Egoísta la hija huye de ellos, de sus tres alimentos. Los viejos son voraces, inconsiderados, reprochadores expertos. Con avaricia piensan en lo que van a comerse. Abocados a la ofensa y al reclamo amenazan con la muerte, con privarla de su presencia insólita: sola, sin instructor ni instructivo, sola, a cargo de sí misma después de haber acatado tanto. Ellos, que deberían ser la imperiosa, absoluta razón de existir para una buena hija. Se pregunta si algún día será capaz de renunciar a complacerlos. Si vencerá su ansia de reconocimiento; si logrará, algún día, gracias a algún mérito insólito, abandonar el reino de los invisibles. Descubre con asombro que liberarse no es un acto de libertad. Hacerles séquito, llenar su tiempo vacío, para eso es hija. Volar muy bajo, como ave de jaula, su destino. Custodiar la oscuridad que los acecha. En calma descubre que sus padres jamás estarán muertos, que se perpetuarán en ella. Adivina que no debe comprender más de lo permitido y se culpa. Con preocupación estéril teme la dureza con la que su padre podría dejar de amarla y come dócil de su mano pródiga.

Entran al restaurante los dos solos, repentinamente viejos. La hija y su esposo los ven alejarse, permanecen callados. Está molesta. Deberíamos ir con ellos, piensa como hija pero ya no lo dice. Si les pasara algo… Imagina adusta cuando sople el silencio de sus padres y su alma, la de ella, que es caparazón de cigarra, se quiebre, y no haya ring que espante la mañana, ni seguridad de padre. Ella es ingrata. El marido, despiadado como son los cónyuges con la familia política. Entra al cuarto callada. Triste y convicta se acuesta. Llora un poco por sus padres, por ella. Sabe que cuando ya no estén será devorada por ellos. Duerme intranquila; durante la noche se levanta varias veces. Piensa en tanto libro inútil que ha traído. Sus libros, sus amados, codiciados, soñados libros se alejan de ella como un amor imposible. Desfallece también el proyecto de iniciar una nueva novela. Tic, el tiempo desalmado ha hecho de las suyas, tac. Debí custodiarlo, se amonesta. Desde que llegaron sus padres no despierta en naranjas ni en fiushas. Amanece llena de compromisos familiares que jamás satisface. Se culpa. Tic, el entusiasmo vacío. Tac, sin propósito.

Ring, las ocho en punto. Es el padre. Se escucha áspero. ¿Quieren comer con nosotros?, es un lugar muy rico y al decir "muy rico" se le endulzan las líneas sonoras. No podemos, papi. ¿Por qué? ¿Qué van hacer hoy? Ella siente el impulso de embestirlo, con esa cólera que le recuerda estoy viva y le recuerda también a Dios colerizado. Y no sabe exactamente qué es Dios colerizado. Su enojo la pone en peligro de perder la devoción, el respeto bíblico a los padres. Pero allí, ante él, estrangulada por la cuerda telefónica, siente su propio miedo, su impotencia y en lugar de reclamarle su entrañable incomprensión, de reiterarle: te he dicho ya mil veces lo que hacemos, en lugar de pregonar o reprocharle los años de sujeción y afecto confinado y porque sabe que la franqueza es muda y cortante y lo más duro se dice en silencio, en ese grito callado con el que se arrebata lo propio, en dolorosa defensa finge, con invisibilidad de esclava, que nada le duele y con voz serena y vacía: chambear, papi, vamos a chambear toda la semana. Te paso a tu madre, rezonga el padre habituado a ser dueño. Frustrado por el impedimento de ejercer su señorío ahora mayor que su conciencia. Quiere hablar contigo. La hija se estruja ahogada bajo la opresión que la obliga a caber en el mundo. No cabe. ¿Hola?… Hola, mamá… ¿Qué crees, mijita?… anuncia la madre ligera y limpia. ¿Qué? Anoche ya no entramos al restaurante. Había mucha gente. Y ustedes, tic, ¿qué planes tienen?, tac.

VICKY NIZRI

Vicky Nizri nació en la Ciudad de México en 1954. Ha publicado cuento infantil, *Un asalto mayúsculo* (Primer lugar premio Ezra Jack Keats, Nueva York, 1988); cuento corto en la revista *El Cuento*; novela, *Vida propia*, M.A. Porrúa (finalista en el V Premio Nacional de Novela, 2000); poesía, *Lilith, la otra carta de Dios*, editorial, M.A. Porrúa, 2002; cuento "Quién es otro" (primer lugar de cuento Premio Nacional de Literatura y Artes Plásticas de El Búho, 2002). Ha participado en el *San Diego Poetry Annual, 2010-2011* y *San Diego Poetry Annual, 2011-2012*. La fotografía y el tango son pasiones con las que adereza su vida.

MARIANELA DE LA HOZ

Marianela de la Hoz nació en la ciudad de México y reside desde el 2001 en San Diego, California. Su obra ha sido exhibida y es parte de colecciones públicas y privadas en diferentes museos y galerías en México, en Estados Unidos, Canadá, Japón, Dubai, Suiza y Alemania. Ha recibido premios y distinciones a nivel nacional e internacional. Sus pequeños temples al huevo pintados sobre madera se pueden describir como fotografías de la realidad convertidas en escenas fantásticas llenas de humor negro y ácido misterio.

IMPROBABLES
de Vicky Nizri y Marianela de la Hoz

Se terminó de imprimir y encuadernar en julio
de 2016 en los talleres de Artes Gráficas Palermo,
en Madrid, España. El tiraje de esta edición es
de 700 ejemplares. Para su composición se utilizaron
fuentes de las familias Filosofía y Helvética Neue.

Ciudad de México, MMXVI